menaud maître-draveur

félix-antoine savard

Présentation d'André Renaud
Chronologie, bibliographie et jugements critiques
d'Aurélien Boivin

bibliothèque québécoise

Couverture:
Conception graphique et illustration de Michel Gagnon.

ISBN: 2-7621-0827-6.

Dépôt légal: Ier trimestre 1982, Bibliothèque nationale du Québec.

Achevé d'imprimer le 6 janvier 1984 à Montréal,
par les Presses Élite Inc. pour le compte des Éditions Fides.

PRÉSENTATION

Menaud et le pays

Publié pour la première fois en 1937, *Menaud, maître-draveur* est l'un des quelques romans canadiens-français dont la popularité s'accroît de jour en jour. Le premier texte a été réédité à plusieurs reprises, puis en 1944, Mgr Félix-Antoine Savard donnait une deuxième version. Enfin, le texte que nous présentons dans cette nouvelle collection forme la troisième version du roman : il a d'abord paru dans la collection du Nénuphar à la fin de l'année 1964. Basée sur la première, cette troisième version reproduit fidèlement l'intrigue originelle de *Menaud* ; la langue et le style ont cependant subi des transformations qui tendent vers une poésie plus dégagée.

Menaud, maître-draveur est sûrement un des titres les plus illustres qu'ait à offrir la littérature canadienne-française authentique. C'est un roman de la terre, le plus poétique qui soit sans doute, tout imprégné de la nature de chez nous, de l'âme du pays, de l'homme de la vieille race, enraciné dans les traditions comme un arbre centenaire dans la glèbe de la forêt. Pourtant, *Menaud, maître-draveur* ne nous paraît pas ressembler en tous points aux romans de la terre que nous avons l'habitude de lire : *Menaud* est, dans toute la perfection du mot, le roman de l'appartenance, l'expression la plus sensible de l'amour pour son pays, un amour dont chacune des manifestations — un regard jeté sur la montagne, une « marche » en forêt, une main tendue vers une fleur —, devient un véritable rite, quelque chose de sacré dont les dimensions rejoignent, profondément au cœur de

5

l'homme, une poésie que seul un verbe grandiose sait exprimer.

Dans les pages de *Menaud, maître-draveur,* au fur et à mesure que se joue l'aventure romanesque, le pays lui-même, comme participant à l'action au même titre que les personnages, vibre au travail et aux chants de l'homme ; il crie sa force sauvage, déploie sa puissance dominatrice, en même temps que chacun de ses paysages, et le rythme des saisons montre sa grande beauté, comme un poème de chaque jour embellit, transforme, reprend.

À l'origine de *Menaud, maître-draveur,* il y avait dans l'âme même du romancier un amour très grand pour le pays de Mainsal, les Eaux-Mortes de la rivière Malbaie, les montagnes des Érables et des Farouches ; il y avait encore la fascination de la forêt et, nous révèle lui-même le romancier, « toutes ces choses qui me criaient « dis-nous, dis-nous, dis-nous ».

Félix-Antoine Savard est peut-être le plus poète des romanciers canadiens-français. C'est en découvrant la poésie de *Menaud, maître-draveur,* la poésie du sujet et celle du verbe, que nous en arrivons à pénétrer le charme du roman puis à comprendre que le livre est de ces œuvres qui, comme la race elle-même, « ne savent pas mourir ».

Menaud et le souvenir de Louis Hémon

En lisant *Menaud, maître-draveur,* nous ne pouvons pas ne pas revivre l'aventure de *Maria Chapdelaine,* tellement Félix-Antoine Savard nous la rappelle dans son roman. Louis Hémon était venu de France à la découverte de l'âme canadienne-française ; il devait par la suite publier, en 1914, ce qui fut alors et à juste titre considéré comme le plus beau roman de la terre de la littérature canadienne-française. Toutes les pages de son roman disent le charme de la nature canadienne, l'attachement religieux du colon à son métier, la liberté enivrante du coureur des bois, la simplicité à la fois naïve et émouvante de l'homme d'ici. Louis Hémon a rassemblé dans son récit tous les éléments qui pouvaient décrire avec justesse la vie paysanne : son personnage apparaît comme un portrait d'une extraordinaire authenticité ; la nature y est dépeinte dans le spectacle de son immensité et dans tout le détail de sa poésie épique ; la vie du paysan, ses coutumes, ses habitudes quotidiennes, ses aspirations de même que sa sensibilité y sont mieux montrées que partout ailleurs. Louis Hémon a surtout senti et transposé dans son roman le fond d'âme nostalgique du Canadien français, de même qu'il a développé avec une rare vérité le thème de la fidélité.

Ce dernier mot témoigne de l'histoire de tout un peuple : il dit le passé, fait renaître les grands événements, évoque les traditions. Mais il est aussi projeté dans l'avenir, il en appelle un autre qui se dit « survivance », volonté profonde d'une race d'hommes qui ne veut ni ne « sait mourir ».

Le roman de Louis Hémon va aussi bien au-delà des seules limites temporelles et spatiales de son intrigue ; il dépasse la mesure du roman-plaidoirie pour atteindre à celle du roman-œuvre d'art, un récit dont chaque épisode et chaque page se trouvent en quelque sorte lancés en dehors du temps.

Quelque vingt ans plus tard, comprenant toute la valeur poétique de *Maria Chapdelaine,* Félix-Antoine Savard devait faire littéralement entrer le roman de Louis Hémon dans son propre livre et accomplir ainsi ce que nous n'hésitons pas à qualifier de prodigieuse réussite. *Menaud, maître-draveur,* parfaitement imprégné du roman de Louis Hémon, se présente alors comme une transposition poétique de *Maria Chapdelaine.* Poursuivi jusqu'à l'obsession par les sentences de *Maria Chapdelaine,* le héros de Félix-Antoine Savard en conserve le message à l'intérieur de lui-même ou les récite à haute voix comme on chante une ode. Insérés dans le livre de Félix-Antoine Savard, les grands passages de Louis Hémon atteignent aux qualités d'un poème vécu. Arrivant, dans *Menaud*, aux moments les plus intenses du drame, les nombreux rappels de *Maria Chapdelaine* sont d'ores et déjà devenus le leitmotiv du roman que nous présentons ici. Certaines citations, comme par exemple, « Nous sommes venus il y a trois cents ans et nous sommes restés... Autour de nous des étrangers sont venus qu'il nous plaît d'appeler les barbares ! ils ont pris presque tout le pouvoir ! ils ont acquis presque tout l'argent... », puis « ces gens sont d'une race qui ne sait pas mourir », se présentent régulièrement dans le roman de Mgr Savard pour marquer le rythme même de la vie intérieure de ses personnages principaux et pour donner à leur aventure sa valeur dramatique.

Dans l'esprit de Menaud et, à mesure qu'avance l'intrigue, dans celui de Maria et du Lucon, les héros de Louis Hémon sont sortis de la littérature pour appartenir d'une vie réelle et physique à la race canadienne-française. Par un processus d'assimilation des personnalités ou, si l'on préfère, faisant s'identifier ses propres personnages à ceux de Louis Hémon, l'auteur de *Menaud* confère à son œuvre un rare pouvoir évocateur, mettant sa technique et son art de romancier-poète au service d'un autre roman dont il montre, mieux que tout autre, les grandes qualités littéraires.

Dans « Menaud » toutefois, le souvenir de *Maria Chapdelaine* va bien au-delà d'un emploi fort heureux des plus beaux extraits. Le romancier canadien exploite à sa manière, les modifiant selon les besoins propres à son sujet, certains des principaux épisodes du roman de Louis Hémon. Il crée des personnages qui non seulement vont se répéter des extraits de *Maria Chapdelaine,* mais qui, surtout, revivront l'expérience des héros du romancier français.

Est-ce que Menaud, incapable de se cantonner dans une terre « bien planche », ne nous rappelle pas Samuel Chapdelaine ? Et Alexis le Lucon ne nous apparaît-il pas comme le frère de François Paradis dont il partage le goût de l'aventure et celui des grands espaces ? Comme le fait Louis Hémon, Mgr Savard montre bien le caractère nomade du Canadien français : fascinés par la montagne, la forêt et les rivières, libres et indépendants, Menaud et le Lucon sont de la lignée de Samuel Chapdelaine et de François Paradis. Notons enfin comment l'aventure tragique de Menaud se perdant dans la forêt évoque le souvenir de la mort de François Paradis.

Il serait possible de pousser plus loin l'examen parallèle des deux romans. Ce qu'il importe de retenir, c'est l'art avec lequel Mgr Savard a su faire rejaillir dans son livre toute la poésie que renferment les pages de *Maria Chapdelaine*. En lisant *Menaud, maître-draveur*, le lecteur attentif ne pourra résister au charme incantatoire des phrases de Louis Hémon ; il sera pris à son tour par la magie du transfert qui se produit, à tous les instants de l'aventure romanesque, dans la vie même des personnages de Félix-Antoine Savard :

> *Nous sommes venus ! et nous sommes restés !*
> *Ces mots-là détendaient à chaque pas les ressorts de ses vieilles jambes.*
> *Nous sommes venus ! et nous sommes restés !*
> *Il trouvait ces mots-là bons, comme le glaçon de l'air vif dans sa gorge brûlante de batteur de neige !*
> *Nous sommes restés ! Nous sommes restés !*
>
> (*Menaud*, chap. IX, p. 195-196.)

Les paroles de *Maria Chapdelaine* transforment l'aventure de Menaud ; ils la nourrissent, depuis le début jusqu'à la fin, de leur puissance impulsive. Ce sont elles qui animent Menaud, marquent sa rivalité contre le Délié, le conduisent maintes fois dans la retraite de sa montagne.

L'art de Menaud

Le sujet, le personnage, la langue et la composition structurale de *Menaud, maître-draveur* ne se dissocient, pour l'examen du roman, que très difficilement. Il est une telle unité et une telle cohésion entre ces divers aspects qu'il nous est difficile de nous arrêter à l'un d'eux sans nous référer constamment aux autres.

Inspiré par la présence et par l'ascendant très marqué du pays sur la vie du héros, le sujet de *Menaud* est présenté puis développé comme une fresque héroïque dépeignant les différentes phases d'une aventure impliquant un certain nombre de personnages, et se produisant dans un espace puis dans un temps donnés ; mais le style du romancier, toute l'imagerie qui défile dans le cours du récit, le rêve grandiose de Menaud lui-même, toutes ces choses s'associent pour conférer au récit des proportions dépassant celles d'une banale aventure et rejoignant ainsi l'âme et les aspirations les plus profondes d'une race.

L'intrigue raconte l'histoire d'un combat, d'une bataille gigantesque mettant en cause tout un peuple, ennoblissant son passé et devant assurer son avenir : intrigue patriotique dont les antagonistes sont le groupe Menaud-Lucon d'un côté, puis, de l'autre côté, le groupe Délié-Anglais. L'Anglais, qu'on voit à peine dans le roman et qui ne sera pas présenté à la fin du récit, ne cesse de hanter l'esprit de Menaud, de le poursuivre jusque dans la montagne d'où le personnage rêve de le chasser. Cet aspect de l'intrigue exprime la thèse du roman tout en composant le mouvement héroïque du récit ; esquissé dès le début, ce mouvement s'amplifie graduellement pour atteindre toute sa puissance avec l'embuscade dans la montagne :

> *Depuis des jours et des jours maintenant qu'il rengainait cette violence aiguisée de longue main contre le lâche et ses pareils !*
> *Et personne ! jamais personne !*
> *Il s'était fait une fête de partir. Il était monté à grand'hâte, tendu comme une outarde qui regagne le Nord avec du vent neuf plein ses ailes. Mais au lieu d'une sorte de place de guerre libre et joyeuse où il aurait voulu défendre sa montagne, hélas ! il*

n'avait trouvé qu'une cambuse funèbre où, dès la porte, tous les
souvenirs de Joson lui avaient sauté à la gorge [...]
Encore s'il avait pu, là, en plein air, accomplir le dessein dans
lequel il était venu : rencontrer le traître, établir, une fois pour
toutes, qu'il y a dans ce pays des droits que toutes les lois du
monde ne peuvent abolir, venger, oui ! venger la terre, les sen-
tiers libres, le passé, les grands morts [...]
Mais non ! Personne ne se montrait !
Il avait espéré que le Délié viendrait.
Il s'était représenté cent fois la scène : la sommation d'abord,
ensuite, sa réponse droite et fière. Puis, la pourchasse de l'intrus
jusqu'au bas de la montagne, quelque chose comme une débâcle
de toutes les colères que le pays avait sur le cœur depuis les an-
nées de servitude.
Triomphant, il aurait ensuite regagné ses chasses, les sanctuai-
res profonds de son domaine, les aires étincelantes de ses lacs ;
il aurait bu le coup de la liberté à même l'air frais et vierge des
monts.
Le soir, il se serait enfin reposé en tête à tête avec ses morts
consolés.

(Chap. IX, p. 188-190.)

Le Délié, on le sait, ne se présentera pas comme le souhaite
Menaud : le grand combat de la délivrance n'aura pas lieu.
Cette bataille anticipée mais jamais réalisée nous semble un
des éléments les plus dramatiques du roman : chaque chapitre du livre converge vers cet événement ; chaque geste ac-
compli par Menaud, chacune de ses pensées entraînent le
lecteur vers un moment tragique qui, ne se produisant pas
dans la réalité des faits, se trouve à expliquer la démence du
héros puis à lui donner une autre dimension. L'attente enve-
nime la colère de Menaud, fait surgir en lui les pensées les
plus sombres, ajoute à son désarroi, le plonge enfin dans un
état de nostalgie profonde et incurable.

Quant au second volet de la fresque héroïque que com-
pose le roman de Félix-Antoine Savard, il est fait d'une intrigue amoureuse et s'intègre parfaitement dans le premier.
Marie « la belle tisserande » en est le personnage principal.

11

À mesure que se définit le drame fondamental du roman et que se succèdent les principaux épisodes, Marie se détachera du Délié, marquée elle aussi par l'atmosphère épique de l'aventure, emportée dans le même mouvement de révolte qui anime son père Menaud. C'est elle qui, la première, « chassera l'intrus », le jour de la cueillette des bleuets, alors qu'elle éconduira le Délié pour finalement donner son amour à Alexis le Lucon.

Les deux principaux thèmes du récit, progressant dans la simultanéité la plus rigoureuse, sont développés comme les mouvements d'une symphonie : ils réapparaissent régulièrement, de même que reviennent certaines citations de *Maria Chapdelaine*. Ainsi le roman est fait de moments forts, suivis de moments calmes, jusqu'au dernier épisode marquant, lui, avec la fin de l'action, la « mort » du grand rêve de Menaud.

Nous pourrions partager en trois étapes le récit de *Menaud, maître-draveur,* chacune étant conçue puis racontée en fonction du dernier moment romanesque, le plus fort et le plus significatif de toute l'œuvre. D'abord, l'ensemble formé par les quatre premiers chapitres : c'est déjà, on l'a souligné plus haut, l'esquisse du thème fondamental, la mise en mouvement du drame et, dans un rythme très rapide, le récit de la drave qui, lui, donne lieu à une longue méditation de Menaud, durant laquelle défile une double imagerie : d'abord celle du passé, des grandes années de labour et de victoire sur la nature, et ensuite, le spectacle même de la drave où nous est montré le draveur dans l'exercice de son métier : sorte de combat acharné que livre l'homme aux rivières et aux courants. Ces quatre premiers chapitres servent à un triple but : énoncer la thèse du roman, établir les antagonismes qui vont aiguillonner le drame, puis enfin faire un récit éminemment poétique de l'héroïsme des draveurs.

Cette première partie du roman se termine par un événement majeur : la noyade de Joson, dont le récit constitue sûrement l'un des plus beaux épisodes de *Menaud, maître-draveur*.

Avec la mort de Joson, la révolte de Menaud croîtra graduellement dans le troisième et dernier mouvement de l'intrigue. Les chapitres cinq, six et sept constituent le deuxième mouvement de l'œuvre. Le romancier nous y dépeint son personnage de l'intérieur, définissant son « mal », le pénétrant de toutes parts, montrant la colère de Menaud, la rivalité grandissante entre le héros et le Délié. Tous les personnages s'affirment et toutes les forces concurrentes du roman sont ici déployées. Du point de vue de la progression de l'intrigue et de l'évolution psychologique des personnages, cette deuxième partie du roman est sans doute la plus révélatrice. Elle se termine par un événement décisif et par un spectacle où se manifestent les qualités épiques du style de Mgr Savard : l'incendie puis le corps à corps d'Alexis et du Délié :

> *Dieu ! les voici maintenant corps à corps, semblables à deux chevrons qui s'arc-boutent quand charge la tempête d'automne. Alors tout gémit sous le toit ; et les hirondelles sont muettes et soucieuses, au fond des nids, sous les ravalements.*
> *Ainsi, tout s'effraye, à la ronde, autour du grand combat.*
>
> (Chap. VII, p. 156.)

Le chapitre huit annonce la dernière étape et le moment le plus exalté de la révolte du personnage principal. Avec la fuite de Menaud et du Lucon dans la montagne, l'attente du traître et l'espoir d'un terrible combat ; avec aussi l'égarement puis la presque mort de Menaud dans la forêt, nous assistons aux plus grands épisodes du livre : ce sont les pages où le romancier décrit le départ de Menaud et où se déroulent comme dans une scène d'apothéose toutes les images du pays, en même temps que sont repris les grands thèmes du roman :

> *Maintenant, raquettes aux pieds, il reprenait enfin le sentier de sa jeunesse.*
>
> (Chap. IX, p. 195.)

13

Avec les dernières pages du chapitre neuf, l'on voit un Menaud transformé, retournant au cœur de la forêt emporté par le mystère des lieux, retrouvant ses souvenirs :

> *Sa fête était grande au milieu de tout ce cortège de souvenirs qui, dans les chemins de soleil, descendaient de partout, affluaient par mille avenues, à travers les colonnades et le décor fantastique de la coupe enneigée.*

> (Chap. IX, p. 195.)

Menaud, personnage épique

Nous ne pouvons, je l'ai souligné plus haut, étudier le sujet d'un roman sans faire de constantes allusions aux personnages qui animent la matière romanesque et qui sont au cœur du conflit. Les personnages de Félix-Antoine Savard font partie de l'assez riche galerie des paysans de la littérature canadienne-française, mais ils brillent cependant d'un éclat tout particulier.

Le romancier a su les faire vivre d'une existence à la fois profonde et complexe. Ils sont véritablement « en acte » dans le roman, engagés dans une aventure qui exige d'eux le déploiement de tout leur être physique et spirituel, la mise en œuvre de toutes les ressources qui dorment en eux. À la fois idéologique et concret, le conflit qui le divise en deux groupes se transforme rapidement en un combat mettant en cause leur propre avenir ainsi que celui de leur race. Ils nous sont donc présentés comme les champions d'une noble cause, une sorte de chevaliers pourvus d'une ardeur de conquérants et d'un amour immense pour le pays à sauver.

Vivant d'une extraordinaire intensité, les héros de *Menaud, maître-draveur* deviennent des prototypes : ils sont l'image de tout ce que la race possède de noblesse et de fierté, d'acharnement et de fidélité ; en eux se sont réunis les vertus et l'idéal de tout un peuple. Ainsi chacun de leurs gestes, chacune de leurs aspirations, ce qu'ils font ou ce qu'ils rêvent de faire dans le cours du récit atteignent à des valeurs symboliques.

Menaud, bien entendu, est au centre du roman ; sa révolte fatale constitue un des éléments les plus originaux du roman de la fidélité, puisqu'elle se fait dans l'ordre d'un engagement absolu dont l'élan initial ne pourra être arrêté. Son patriotisme est d'une telle véhémence qu'il devient une véritable mystique dont l'esprit et l'enthousiasme se communiqueront, dans le cours du récit, à Marie sa fille puis à Alexis le Lucon.

C'est donc dans le rayonnement immédiat de Menaud que vivront les autres personnages du roman, subjugués par la puissance à la fois sauvage et mystérieuse du bonhomme, saisis comme lui par la portée symbolique de certaines paroles et de certains événements. La mort de Joson, la menace représentée par la trahison du Délié, l'incendie puis enfin l'embuscade dans la montagne, tout agira sur l'esprit de Menaud, sur l'esprit des autres personnages ensuite. À mesure que s'aggrave le mal de Menaud, s'intensifie la crainte des autres et se manifeste le besoin d'agir. À la toute fin, Josime résumera très précisément la pensée des personnages qui ont vécu le drame, donnant ainsi au roman toute sa signification :

> C'est pas une folie comme une autre ! Ça me dit, à moi, que c'est un avertissement.

> (Chap. X, p. 213.)

Roman et poème

Menaud, maître-draveur étant l'histoire d'un patriotisme mystique que le temps, l'espace et une suite d'événements dramatiques illustrent, il me semble important de bien voir comment ce mysticisme — qui est poésie — se cristallise dans la phrase et dans la composition du roman.

Il y a dans *Menaud* plusieurs éléments qui sont employés expressément pour communiquer au récit ses dimensions poétiques : les citations tirées de *Maria Chapdelaine*, par exemple, en plus de conférer au drame une très grande impulsion, se présentent comme des stances qui assurent un rythme éminemment musical aux pages du roman. Je pense aussi à la chanson de la Malhurée, puis, au très beau poème que le Lucon débite à Marie en lui offrant un gobelet « *trempé dans l'eau des framboisiers odorants* ». (Chap. VI, p. 134.)

Mais il a plus encore. On dirait que la nature tout entière participe au drame de Menaud : elle possède son âme propre, elle vit comme les hommes eux-mêmes, avec la même puissance. Ce n'est plus en témoin impassible que la nature assiste aux conflits ; elle éprouve, comme les personnages, des sentiments de frayeur, elle a ses mouvements de nervosité ou de calme. Et parfois, dans un geste violent qui est comme une vengeance de la divinité pleine de colère, elle emporte dans la mort ceux qui doivent lutter contre elle. C'est dans cet esprit qu'il faut lire le récit de la noyade, celui du combat entre le Délié et le Lucon, celui de l'incendie, celui enfin du long engourdissement de Menaud dans la neige.

La forêt, la rivière, la montagne, en une allégorie grandiose, sont animées d'un instinct sauvage, d'une force immense qui sont ceux mêmes du héros. D'où la profonde sympathie entre elles et lui, communion qui est connivence et respect mutuel.

> *Aussi, comme un vent de souffrance passait sur le pays tout entier, comme une plainte qu'on entendait parfois gémir au fond du sang.*

> (Chap. III, p. 65.)

Elles sont nombreuses ces pages où le personnage et le pays ne forment plus qu'une même âme, vivant de la même souffrance, se révoltant avec une même fougue. C'est elle, la forêt, qui évoque le souvenir du passé, qui fait entendre la voix des aïeux, qui dit l'histoire de la race et qui communique au héros l'enthousiasme vengeur.

Poèmes, chansons, récits héroïques, peintures du paysage, autant d'éléments qui contribuent à faire de *Menaud, maître-draveur* un roman dont le style emprunte à la poésie. Il s'agit d'une poésie aux ressources diverses, mise au service du genre romanesque auquel l'auteur n'a rien sacrifié, *Menaud, maître-draveur* demeure un roman, c'est-à-dire « un exercice littéraire où l'on se sert d'un récit pour exprimer autre chose »[1]. Le roman de Félix-Antoine Savard reste marqué par l'aventure qu'y vivent les héros ; c'est elle qui les propulse dans l'acte, qui témoigne de leur animation et de leur engagement. Par contre, la manière du romancier — allégorie, affabulation, épopée — informe la matière, colle à elle, l'exprime avec une puissance qui définit l'art de *Menaud, maître-draveur* et fait de ce roman l'un des plus beaux de notre répertoire.

1.   R. M. ALBÉRÈS, *Histoire du roman moderne*, p. 422.

CHAPITRE PREMIER

> « *Nous sommes venus il y a trois cents ans et nous sommes restés...*
>
> « *Autour de nous des étrangers sont venus qu'il nous plaît d'appeler des barbares ! ils ont pris presque tout le pouvoir ! ils ont acquis presque tout l'argent...* »

> *Louis Hémon*

Menaud était assis à sa fenêtre et replié sur lui-même.

Et, tandis que, tout autour, comme une couverture qu'une femme étale sur un lit, s'étendait la grande paix dorée du soir, il écoutait les paroles miraculeuses:

« Nous sommes venus il y a trois cents ans et nous sommes restés...

« Nous avions apporté d'outre-mer nos prières et nos chansons: elles sont toujours les mêmes.

« Nous avions apporté dans nos poitrines le cœur des hommes de notre pays, vaillant et vif, aussi prompt à la pitié qu'au rire, le cœur le plus humain de tous les cœurs humains: il n'a pas changé. Nous avons marqué un plan du continent nouveau, de Gaspé à Montréal, de Saint-Jean-d'Iberville à l'Ungava, en disant: Ici toutes les choses que nous avons apportées avec nous, notre culte, notre langue, nos vertus et jusqu'à nos faiblesses deviennent des choses sacrées, intangibles et qui devront demeurer jusqu'à la fin.

« Autour de nous des étrangers sont venus, qu'il nous plaît d'appeler des barbares! ils ont pris presque tout le pouvoir; ils ont acquis presque tout l'argent; mais au pays de Québec...

Comme si l'ombre s'était soudainement épaissie sur ces mots, la voix de Marie s'était mise à hésiter:

« Mais au pays de Québec... »

Elle se pencha sur le livre, et reprit avec une voix forte:

« Mais au pays de Québec, rien n'a changé. »

Soudain, Menaud se dressa sur son siège comme si ce qu'il venait d'entendre eût ouvert là, sous ses pieds, un gouffre d'ombre:

« Rien n'a changé... rien n'a changé ! » grommela-t-il...

Violemment, à coups secs, il secoua sa pipe sur son talon, s'appuya, un instant, au cadre de la fenêtre, regarda du côté des libres montagnes qu'on pouvait encore distinguer au loin, puis, pour chasser les pensées de ténèbres qui l'envahissaient, il plongea dans la braise de son poêle un éclat de cèdre avec lequel il alluma sa lampe.

Et, tandis qu'il cherchait à démêler les pensées qui surgissaient du fond de lui-même:

« Continue dans ton livre », dit-il à sa fille.

Elle reprit:

« Rien ne changera, parce que nous sommes un témoignage. De nous-mêmes et de nos destinées, nous n'avons compris clairement que ce devoir-là: persister et nous maintenir... Et nous nous sommes maintenus, peut-être afin que dans plusieurs siècles encore le monde se tourne vers nous et dise:

« Ces gens sont d'une race qui ne sait pas mourir. »

Le regard de Menaud s'était enflammé.

« Assez ! » dit-il à sa fille.

Elle laissa le livre retomber sur ses genoux.

Une race qui ne sait pas mourir !

Voilà maintenant que cette parole flambait dans l'humble maison comme un feu d'abatis dans la clairière du printemps.

Avec ferveur, Menaud répéta: « Une race qui ne sait pas mourir ! »

Il se tenait là, fixé sur ces mots d'où jaillissaient une force, une jeunesse, quelque chose de comparable au printemps miraculeux de Mainsal avec ses explosions de vie après le froid, la neige, les six longs mois d'hiver.

Une race qui ne sait pas mourir !

Il se fit un long silence.

Puis, il ouvrit la porte toute grande; et, dans le soir immobile, il contempla longtemps la campagne endormie, laissant ses regards voler jusqu'aux horizons lointains, et revenir ainsi que des engoulevents au nid de ses pensées.

L'homme était beau à voir. Droit et fort malgré la soixantaine. La vie dure avait décharné à fond son visage, y creusant des rigoles et des rides de misère, et le colorant des mêmes ocres et des mêmes gris que les maisons, les rochers et les terres de Mainsal.

La vie dure ! Elle lui avait fait une âme sage, donné le goût des choses calmes, profondes d'où sa pensée sortait peu. On sentait, chez lui, cette force grave, patiente que donnent le travail et la nature austère. Il racontait ses souvenirs sur un ton simple, en long, triste souvent. Mais parfois aussi, sous la surface tranquille, on devinait une passion sauvage pour la liberté; et, tel un fleuve de printemps, à pleine mesure d'âme, l'amour de son pays.

Veuf depuis quelques années, Menaud vivait seul avec sa fille et son fils.

Sa femme, avait tout fait pour enraciner au sol ce fier coureur de bois. Et lui, par amour pour elle, il avait défriché cette âpre terre de Mainsal, toujours prêt, cependant, à s'évader du regard vers le bleu des monts dès que le vent du Nord venait lui verser au cœur les paroles magiques et les philtres embaumés.

Mais depuis la mort de sa femme, par un froid matin de novembre, tous ses instincts de chasseur s'étaient réveillés en lui.

Il avait retrouvé ses ailes, repris ses élans de jeunesse, et, avec Joson, son fils, il passait le printemps, l'automne et les premiers mois des longs hivers dans la montagne dont il était roi.

Or, comme on était à la fin d'avril, les cloches du printemps s'étaient mises à sonner là-bas, dans les tours et les clochers de la forêt prodigieuse. La voix de la grande rivière avait commencé de se faire entendre. Elle annonçait le temps de la drave.

Accompagné d'un interprète, un ingénieur de la compagnie était venu la veille chez le vieux maître-draveur, pour demander ses services.

Les pourparlers avaient été longs et durs, entrecoupés de silences hostiles et de protestations violentes contre cet autre étranger qui le commanderait, dans son propre pays, lui, seigneur et maître des longs trains de bois que, durant tant d'années, il avait conduits, sous la pique de fer, dans les cris et les tumultes de l'eau révoltée.

Mais les signes que lui avaient faits Joson et Marie, et, surtout, l'image apparue de la grande rivière, le visage et l'appel de cette route par où s'était écoulée sa vie, tout cela l'avait calmé.

Il avait fini par consentir.

Mais, ce soir-là, veille du départ, tout ce qu'il avait eu la faiblesse de taire lui remontait au cœur. Au feu de cette lampe qui allumait des escarbilles en ses regards, il avait l'air d'un forgeron martelant des pensées de fer.

Après le récurage, il avait demandé à Marie de lui faire un petit bout de lecture, dans l'espoir que les mots des livres l'apaiseraient, peut-être.

Mais voilà que, de cette diable de lecture, étaient sortis des mots en armes, et qu'avec eux toutes les voix du pays, de la montagne, des champs et des bois s'étaient engouffrées chez lui, ébranlant son âme et sa maison comme une bourrasque d'automne.

« Des étrangers sont venus ! ils ont pris presque tout le pouvoir... »

Menaud se rappela la visite de l'Anglais la veille...

« Une race qui ne sait pas mourir... »

Il se promenait de long en large, maintenant, répétait ces mots-là, s'arrêtait brusquement, faisait de grands gestes comme s'il se fût battu contre lui-même, contre sa propre servilité.

Marie, elle, s'était rassise à son métier.

Et l'on n'entendit plus que le frappement du ros qui tassait la tissure entre les fils de la chaîne.

Un rythme la berçait de droite à gauche. De ses deux bras harmonieusement levés l'un après l'autre, elle semblait battre la mesure à quelque mystérieuse musique, cependant qu'à la trame de cette lourde étoffe grise, elle insérait toute la chaleur de son être pour son père, pour Joson, qu'elle protégerait ainsi contre le froid qui glace là-bas le cœur des hommes.

Et c'était sa manière à elle de dire à chaque coup de marchette: « Une race qui ne sait pas mourir ! »

Ce qu'elle faisait là, sa mère et bien d'autres femmes l'avaient fait avant elle, entremêlant aux laines de subtils sentiments de force, de résistance, et des prières même.

Et peut-être aussi, dans la navette légère, la belle voyait-elle passer un songe d'amour, parfois...

Vers les huit heures, le chien se mit à grogner.

Quelqu'un secoua ses pieds sur le palier du seuil et cogna. C'était le Délié, le prétendant, depuis les Fêtes.

Marie ouvrit la porte et dit tout simplement: « Entre ! Il y a une chaise icitte pour toi. »

Puis elle se mit à rougir.

Depuis quelque temps, au sortir de l'église surtout, elle avait senti que les yeux du Délié s'arrêtaient sur elle. Aussi, sa chair s'en était-elle émue, comme s'émeuvent les arbres du printemps quand le soleil les réchauffe d'amour.

Il prit une chaise; elle, son travail.

Mais le dialogue silencieux qu'échangeaient son cœur et la pensée de son père, ainsi qu'une laine fragile, s'était rompu.

Menaud, lui, n'avait pas même salué le veilleux.

Belle pièce d'homme, cependant, ce Délié ! Planté droit; haut en couleurs, et des yeux noirs tapis comme ceux d'un fauve sous la broussaille ombreuse des sourcils.

Mais Menaud n'aimait point ce gars-là.

Il l'avait surnommé le Carcajou depuis qu'il l'avait surpris à marauder ses collets de chasse et, qu'entre chien et loup, il avait cru le voir rôder furtivement autour de ses granges.

La veillée s'en allait donc ainsi: dehors, au pas clair d'une nuit de printemps, à l'intérieur, au rythme du ros qui claquait de plus en plus dru sur le bâti sonore.

Par moments et pour la contenance, le Délié jetait des bribes de conversation:

— La route de Mainsal est vilaine...

— Elle est toujours comme cela, répondit la fille.

— C'est la deuxième journée de noroît; le vent va calmir demain...

Mais, à chaque intervalle de silence, le regard du Délié se posait avec amour sur le visage et les bras harmonieux de la belle tisserande.

Non, Menaud n'aimait point ce gars-là ! De tout son instinct d'homme libre et jaloux du sol. Pour lui, le Délié était un de ces traîtres, un de ces vendus qui livrent, pour de l'argent, la montagne et les chemins à l'étranger.

Cette espèce-là, sans doute, quand on en aurait assez... tout le pays, toute la race la renieraient.

De penser que sa fille, le sang de son sang, pourrait un jour... épouser...

Cela, non ! Jamais !

Ah ! si, par malheur, le troupeau de ces lâches et de ces vendus venait à menacer... lui, foi de Menaud ! il s'en irait quelque part, sur la montagne ; et, là, il emboucherait son burgau d'écorce pour un appel à la liberté.

Cette décision prise, il se leva pour sa tasse de thé qu'il prenait d'habitude, vers les neuf heures, lorsque le sommeil commençait à l'appesantir.

Il se mit à boire lentement, les yeux mi-fermés, tandis que Marie faisait tapage de ses marches et de son ros pour remplir les espaces de silence.

Mais, vers les dix heures, il se leva, remonta l'horloge, sortit pour voir les étoiles, considéra

la nuit toute en fleurs ainsi qu'un champ de mar-
guerites, rentra fourgonner son feu qui s'aviva
soudain comme une talle de harts rouges.

Le Délié comprit que c'était l'heure de partir.

Une dernière fois, longuement, il regarda Marie, lui dit bonsoir et prit la porte.

Aussitôt, Menaud s'en alla dans la grand'chambre obscure, suivit le Délié du regard jusqu'à ce
qu'il l'eût vu dévaler la pente, passer derrière les
fûts bleuâtres des bouleaux, pour entrer dans les
brumes qui sortaient de la mare à Josime comme
des oies aux ailes ouvertes toutes grandes.

Quelques minutes plus tard, on entendit dehors
une voix qui s'approchait.

Menaud prêta l'oreille et reconnut bientôt le
timbre de Joson.

En effet, c'était bien lui qui s'en venait, chantant à pleine gorge, dans le silence de Mainsal.

Il entra.

A la vue de ce beau grand gars, né de sa souche, et fort comme un jeune pin de montagne,
Menaud s'était calmé.

Lui déjà vieux et son temps utile épuisé, son fils prendrait la relève et lutterait contre les empiétements de l'étranger.

— Père, dit Joson, l'air est noroît; le temps est clair. Il va geler cette nuit et les chemins seront durs. On a décidé, les draveurs ensemble, de partir au petit matin. On s'attendra chez les Maltais.

Il se mit ensuite à parler de sa veillée chez les Josime, et de ce qu'on y avait raconté: les histoires toujours les mêmes au fond, les propos où alternaient les vieilles plaintes de la race contre l'hiver, contre les lenteurs du printemps, les amours nouvelles et les mariages qui s'annonçaient pour l'été.

La conversation reprit sur le départ du lendemain.

Selon dire, la drave allait être dure... bien dure...

Enfin, après avoir hésité quelque temps, Joson rapporta les bruits que le Délié faisait courir dans Mainsal: que les étrangers seraient bientôt rois et maîtres des forêts, des rivières, des montagnes du pays; et qu'il y aurait, partout: *Défense de passer;* mais que lui, le Délié, il serait le gardien de tout...

Le jeune homme récitait toutes ces prédictions-là tête basse et en serrant les poings.

Menaud, lui, regardait son fils; et il éprouvait toutes sortes de sentiments, de colère, de révolte, d'amour, lorsque, soudain, les paroles lui revinrent: ...*Une race qui ne sait pas mourir.*

Et ce fut alors comme s'il l'eût vue, cette race, non dans les livres, mais vivante, mais dans sa chair dressée là, devant lui; et cette race, elle devenait comme un grand peuple libre, debout, enfin, dans sa lumière, et fort comme le printemps lorsque le soleil descend sur le pays et donne des coups de pique sur les embâcles de l'hiver.

Cependant, Marie s'était mise en train de préparer leur fourniment de voyage.

Elle ouvrit la grande armoire et, les mains croisées, contempla religieusement les hautes piles du beau linge.

Une odeur de cèdre envahit la pièce.

Le visage de Menaud s'était éteint devant les souvenirs de sa femme, de celle qu'il appelait sa chère défunte.

Il y avait là, en effet, les draps de toile bise dont on avait paré la grand'chambre, le tissu solennel dont on avait recouvert le lit funèbre: ce long couvre-pieds de laine avec ses dessins d'épinettes, ses étoiles, ses croix indigo sur fond de neige... symboles naïfs de la vie austère et des espérances paysannes.

Marie sortit, pieusement, avec des caresses, les couvertures grises aux larges bordures pourpres, puis les lourdes catalognes barrées où, par bandes, sa mère avait étalé la couleur des paysages et des saisons: du bleu de montagne, du jaune de blé mûr, et, entre deux, de larges quartiers tout blancs comme les champs de neige de son pays.

Les deux hommes, eux, fumaient, coudes aux genoux, têtes baissées, sans rien dire:

Vers les onze heures:

« Marie, fais-nous la prière ! » dit Menaud.

Elle abaissa le feu de la lampe.

Alors, commença la longue prière où défilait tout le ciel: Dieu, la Vierge, les anges, les grands saints de la protection... lentement... en une procession de lumière et d'amour.

Puis, il se fit un long silence. Et ce fut le tour des morts, l'instant des pensées éternelles, l'heure des désirs où s'attendrit le cœur des hommes; et, peut-être... Marie regretta-t-elle, ce soir-là, le Délié, sorti trop précipitamment de chez elle pour entrer dans les brumes qui sortaient de la mare à Josime comme des oies aux ailes ouvertes toutes grandes.

CHAPITRE II

Menaud pencha sa joue sèche vers sa fille, et, sac au dos, partit avec Joson dans le chemin des Hauts.

La nuit froide avait glacé toutes les fondrières.

Les champs étaient couverts de givre.

Ils passèrent par chez Josime. Le four était ouvert: on venait de cuire, et cela donnait à l'aube une haleine de bon pain.

Ils gravirent ensuite la côte de la R'source d'où le regard pouvait au loin distinguer les monts blêmes et, tout près, quelques champs frimassés étendus en contre-bas.

Les premiers, à l'heure convenue, ils attendirent chez les Maltais.

Bientôt apparurent, chargés comme des bêtes de somme, François Dufour, Gagnon surnommé Tonnerre, à cause de sa grosse voix, les deux Platon, Joseph et Elie, Bourin, Simard la Gueule, les trois Josime, les Lajoie, les Boudreault, les Gauthier; puis, Alexis Tremblay qu'on appelait le Lucon.

Le plus jeune de tous et de taille moyenne, il était déjà réputé dans tous les durs travaux de drave.

En outre, grand frotteur de chanterelle, l'âme pleine de musiques et de chansons, il était le premier invité à toutes les noces qui se faisaient depuis Cachette-Aubin, au pied des montagnes, jusqu'aux bords du grand fleuve.

C'était l'ami de Joson.

Menaud reluqua le Délié qui s'en venait, endossa brusquement son paqueton; puis, la troupe se mit en marche.

Toute la vieille route de misère, entre les herbes fanées, se remplit bientôt de rires, de gausseries, de rengaines d'amour qui se levaient, par intervalles, du cœur des jeunesses et trébuchaient à la prochaine ornière.

On traversa l'abatis du Colombier piqueté de souches, de recrus de plaines et de fougères brunes.

Puis, le chemin se mit à grimper entre les talles de harts rouges, les trembles gris vert et les aulnes dont les chatons annonçaient le printemps.

La montée devint pénible.

Dans les affouillements, il fallait tirer à pleins colliers.

Alors les voix se turent, toutes étranglées par les sangles de poitrine et de front.

Lorsqu'on eut gagné les hauteurs du Portage, le soleil avait émergé.

Menaud s'arrêta.

Devant lui, s'étendait la vallée de la grande rivière. L'ombre y stagnait encore; par intervalles, il en montait comme un beuglement de troupeaux affolés.

Mais, au loin, on voyait la Basilique neigeuse, l'Eboulée, les Erables, les Farouches... et Menaud les nommait tout bas, comme les paysans nomment leurs bêtes à la barrière.

A gauche, par la coupe du Vieux-Pont, les défricheurs avaient traversé vers le Royaume du Saguenay. Oh ! une fière aventure que celle-là !

Mais maintenant...

Il se retourna vers ses compagnons qui, l'un derrière l'autre, marchaient courbés comme des porte-bâts dans ce chemin de conquête, en face de ce libre pays que le matin découvrait devant eux.

— C'est dur, la drave, dit Alexis qui l'avait rejoint. Moi, foi de Lucon ! je ne ferai pas le chien tout mon règne.

On fit une pause pour reprendre haleine.

Alors, les jeunes draveurs tournèrent les yeux vers en-bas, vers les champs beiges dont les rectangles semblaient se raidir contre l'envahissement des bois... vers les vieilles maisons grises où l'on danse, les bons soirs, avec les filles.

On eût dit que la terre se faisait belle exprès et tendre en ce lumineux matin de printemps où, je ne sais pour quel apprêt d'amour, les collines commençaient à s'attiédir et le soleil, à danser sur les sillons.

— C'est beau, pareil, dit l'un d'eux...

Il y avait, dans cette réflexion, comme un regret d'être obligé par la misère d'abandonner ainsi, pour de si maigres gages, des choses qui, vues de haut, semblaient très douces.

Et, sans doute aussi, pensaient-ils à ce qui les attendait: les nuits de glace, les risques, les misères incroyables... sous l'œil de l'étranger...

Menaud, Joson, Alexis, eux, n'avaient point de ces retours, étant d'une autre race: celle que la terre mesurée, avec ses labours et ses moissons, ses rigueurs et ses tendresses, n'avait pas encore apprivoisée.

Pour eux, la vie c'était le bois où l'on est chez soi partout, mieux que dans les maisons où l'on étouffe, c'était la montagne, aux cent demeures, aux innombrables chemins tous balisés des grands souvenirs du passé.

C'est là qu'on se faisait des âmes fortes.

C'est là qu'un jour la liberté descendrait comme un torrent de colère et délivrerait le pays de tous les empiéteurs.

La troupe avait enfilé les longues descentes.

Et, de la cuve d'or du soleil, partout, dans les pendants, les sous-bois, les ornières glacées par la nuit, débordait la première chaleur.

Le sol gluait de plus en plus.

Maintenant, c'étaient la boue, les ruisseaux débordés, les baissières vaseuses et longues comme des lacs.

Il fallait fouiller là-dedans, enjamber, sauter, assurer l'aplomb du pied sur les corps-morts limoneux, tenir le ballant des fardeaux...

Ainsi s'avançait cette procession de draveurs silencieux, dans le décor toujours le même de forêt grise, chaude dans les clairières, froide dans les massifs d'épinettes où gisaient encore des bancs de neige sale.

Et, au loin, c'était le bleu des monts qui, de plus en plus, s'embuaient de chaleur; et tout le long du portage, grondait cette rivière rageuse, gonflée de toutes les furies de l'hiver en déroute.

Au pic du jour, on fit halte pour le dîner.

Les hommes tirèrent quelques croûtes de leurs paquetons, sapèrent leur thé en silence et, pour une trêve de pipe, chacun se canta sur son fardeau.

Le Bourin sortit sa boîte à musique, essaya d'une chanson, d'une autre; puis, les yeux dans le vague et les pieds battants, il enfila une ritournelle.

Aussitôt, dans la pensée de chacun, revinrent des figures gracieuses, souriantes, versant des baumes d'amour sur les fronts que les sangles avaient stigmatisés: l'Amélie de Joson, l'Elise du grand Josime, bien d'autres encore... Marie la belle tisserande... en face de qui la pensée du Lucon et celle du Délié se rencontrèrent soudain...

Menaud, lui, jonglait à l'écart.

Autrefois, c'était une fête de partir pour le bois.

Du temps de son défunt père, surtout! Un maître homme dans le pré duquel il n'aurait pas fait bon faucher.

Il se rappelait bien ses paroles.

Partout, devant les moindres choses, c'était toujours la même chanson: « Regarde, comme c'est beau! Garde ça pour toi et pour ceux qui viendront, mon sapregué! »

Un jour, sur la montagne à Basile où l'on chassait à l'ours, il s'était arrêté longtemps.

Alors, il avait fait un large geste, comme s'il eût voulu embrasser le pays tout entier.

« Tout cela, c'est à nous autres, c'est l'héritage ! » avait-il dit.

Menaud le revoyait encore humant les âcres parfums du bois comme une odeur de son bien à lui, les yeux sur les montagnes comme sur une bête familière que l'on caresse, fier de l'entrecroisement de ses pas et de ceux de sa race sur tout ce beau domaine.

Ce jour-là, de grosses larmes lui avaient roulé des yeux ! Il avait répété: « Tout cela vient de nos pères, les Français ! »

Menaud poussa un long soupir.

A c'tte heure, ça n'est plus pareil ! pensa-t-il.

Il passa sa grosse main dans la·broussaille de ses sourcils, cala son feutre à plein.

Cette diable de lecture de la veille lui revenait maintenant:

« Des étrangers sont venus ! ils ont pris presque tout le pouvoir ! ils ont acquis presque tout l'argent... »

Le livre disait vrai.

Alors, le vieux maître-draveur eut honte de lui-même.

Il avait fait comme les autres: plié le cou. Chien grognant d'abord, chien couchant ensuite. Comme les autres... comme les autres !

Il regarda du côté de Joson.

Il aurait voulu, de rage, frapper à coups de bottes dans cette destinée d'esclave qui le ravilissait, lui, et qui ravilirait demain l'œuvre la plus fière de son sang: son fils, sa fille.

Le Délié s'était approché.

Menaud aurait bien eu envie de lui faire perdre, à ce gibier-là, l'idée des noces et pour longtemps.

Mais: « Ohé ! les gars, ohé ! » cria-t-il, en se levant.

On se ressangla, et les hommes se remirent à battre la semelle dans la pierraille du Foulon.

La batture, longue, était un vaste champ d'éricales sèches et de mousses blanches.

Ici et là, se dressaient quelques pins de misère, quelques chicots noircis.

Une odeur chaude montait de cette terre stérile que le soleil recommençait à rôtir.

On eût dit un vacillement de toutes choses dans cette savane de souffrance qu'irritait le marteau des pics s'acharnant sur les arbres morts.

Les hommes allaient, sans pensée, gorge sèche, cou bandé, le front roussi par les courroies brûlantes, les pieds en feu sur la rocaille, jurant aux heurts qui leur enfonçaient le fardeau dans les épaules.

Vers le soir, enfin, on arriva à la Grande-Ecore.

Les hommes, tête baissée, se précipitèrent aussitôt dans la descente, en secouant les paquetons qui ne pesaient plus.

Pour la traversée de la rivière, Menaud mit quatre hommes aux rames et prit l'aviron de gouverne.

L'esquif piqua dans le courant dur, entra dans le remous d'atterrissage où tournaient des écumes comme des cygnes tranquilles.

Les tentes avaient été dressées une quinzaine de jours auparavant par les draveurs du « temps de glace ».

On appelle ainsi, au pays de Québec, ceux qui, dès la première fonte des neiges, vont ouvrir les chenaux des rivières et préparer la grande drave.

C'est, de toutes, la corvée la plus dure et la plus hasardeuse.

Les hommes ont à se battre contre le froid, la neige et l'eau.

D'une étoile à l'autre, ils doivent dégager les billes encavées dans la glace, courir sur le bois en mouvement, s'agripper aux branches, aux rochers de bordure quand l'eau débâcle et qu'elle veut tout emporter comme une bête en furie.

On les vit revenir à la brunante, trempés jusqu'aux os, grelottant dans leurs hardes que le froid avait raidies.

Les deux équipes échangèrent des amitiés et se précipitèrent vers la mangeaille, sous l'appentis de toile.

Il faisait nuit maintenant.

Tout autour, les montagnes déjà noires encerclaient d'une sombre margelle le puits des étoiles claires.

Menaud s'informa des mouvements de l'eau, du bois et du travail des hommes.

Après quoi, pour se divertir un peu de toutes les misères qui s'annonçaient, les draveurs allumèrent un feu sous les épinettes.

On eût dit que la flamme réveillait le sang engourdi de cette race.

Sous les branches toutes fleuries d'étincelles, dès que le Bourin eut embouché sa musique et battu des pieds, ce fut une débâcle, une poussée de gestes de délivrance et comme une revanche de ces âmes que les fatigues et le froid avaient rendues inertes.

Aussitôt qu'un danseur s'épuisait, un autre reprenait la gigue: visage en flammes, cris ardents, regards perdus vers un rêve mystérieux entrevu dans l'entrelacement des branches embrasées où les génies du feu dessinaient, à la complaisance de chacun, les figures qu'il aimait revoir.

Tout cela semblait remonter de la profondeur du sang.

Tout cela rappelait que les pères avaient été, d'un océan à l'autre, et même dans tous les périls, les plus gais des hommes, les fidèles échos de ce monde sonore, les amants passionnés de cette nature aux belles images sans cesse renouvelées, à laquelle, tous, dans la plaine, sur la rivière ou la montagne, dans la neige ou les joailleries du printemps, ils avaient chanté une chanson d'amour et un hymne de liberté.

Personne ne parlait plus de drave maintenant. La danse allait, légère, sur la pointe des pieds, comme pour un envol, et vêtue de feu.

Délivrés, inlassables, ils exprimaient, chacun, sa vie propre. Ils révélaient par les bras, les pieds, les yeux, les cris poussés dans la frénésie des cadences, ce qu'ils avaient reçu du passé et appris par eux-mêmes; ils animaient d'une sorte de lyrisme sauvage tout ce décor de misère.

Une brume froide, lente, étendait maintenant son apaisement sur les choses et les hommes...

On raviva les feux.

Ils se mirent à crier tous: « Alexis ! Alexis ! »

Il sortit son violon, qu'il avait fait lui-même dans un sapin de montagne.

Il releva les vagues de sa chevelure brune, frappa plusieurs fois la terre de son pied pour en faire sourdre un rythme.

On avait fait silence autour de lui.

Alors, il se mit à faire parler les cordes.

Dieu ! si elles en savaient une chanson, puis une autre !

Repliés sur eux-mêmes et muets, les hommes complétaient, en leur songe, cette musique où passaient les images de leur vie.

Cependant, les souffles froids commençaient à jeter des glaçons dans le dos des hommes.

Mais il fallut quand même que le Lucon revînt.

Il se mit à chanter, cette fois, des ritournelles que ses compagnons scandaient des mains, des chansons de voyageurs aux mélodies venues de loin, de très loin, peut-être, puis, la complainte de la Malhurée dont le spectre hante encore les gorges de la Gamelle.

Et, tandis qu'autour se figeaient les ombres, et que, sur le bois du brasier, tristement, s'étiolaient les fleurs de flammes, au milieu du silence, s'éleva la complainte :

> *Plus belle était la Malhurée*
> *que n'est belle, au matin,*
> *la source d'ambre et d'or !*
>
> *Ce qu'elle aimait, ce qu'elle aimait*
> *le grand chasseur d'en-haut*
> *son José, son José !*

Un soir de la dernière automne,
à l'aiguade d'amour
    il vint boire longtemps.

Puis, il marcha si loin, si loin,
que les feuilles revinrent
    sans José, sans José !

Alors, toute au compte des jours,
et des nuits qui s'allongent,
    pleure la Malhurée.

Et, comme des flèches claires,
sont piqués ses regards
vers le sentier des monts.

Passe l'été, passent les feuilles;
et la sombre douleur
    de l'amante affolée

hélas ! règne au large, là-bas,
sur le sombre mystère
    de la vaste forêt.

Vers la guette des monts
d'où le cœur voit au loin,
    confuse et lamentable,

la Malhurée s'enfuit, laissant
le sillage des plaintes,
la houle des sanglots.

Et depuis, dans les nuits de lune,
son fantôme se lève,
*   blanc dans la gorge noire.*

Et redit au passant
qu'elle est morte d'amour,
*   la pauvre Malhurée !*

Menaud, durant toute cette fête, n'avait point bougé. Il était assis à l'écart, bourrant d'innombrables pipes, moins attentif aux danseurs qu'au fond de scène que faisaient derrière eux les paroles du beau livre: « Nous avions apporté dans nos poitrines le cœur des hommes de notre pays, vaillant et vif, aussi prompt à la pitié qu'au rire, le cœur le plus humain de tous les cœurs humains. Il n'a pas changé. »

Puis, alors que les hommes, lentement, semblaient s'enfoncer dans les ténèbres de la nuit, le vieux maître-draveur se leva soudain, lança quelques bûches dans le brasier et commença de parler comme s'il eût été à lui seul tout un peuple et qu'il eût vécu depuis des siècles.

Les randonnées des coureurs de bois, les portages, les rapides, tout le pays qu'on avait découvert, tout ce qu'avaient enduré, explorateurs, colons, missionnaires, il dépeignait tout cela avec ses mots, ses gestes à lui, comme si tout s'était passé de son temps entre le rang de Mainsal et le mont à Basile.

Les hommes, eux, suivaient le récit avec une sorte de regret: toutes ces belles choses ne reviendraient sans doute jamais plus !

Ainsi parla Menaud et tard dans la nuit, prenant à témoin les forêts, les plaines, les monts, le grand fleuve nourricier, que les âmes des aïeux étaient grandes et que c'était pour eux, leurs fils, qu'ils avaient fait cette terre, pour eux...

Puis:

« Des étrangers sont venus, dit-il; ils ont pris presque tout le pouvoir; ils ont acquis presque tout l'argent... »

Sa voix se brisa dans sa gorge.

Il regagnait sa tente, lorsqu'il vit le Délié s'approcher de lui.

Devinant ses motifs: « Ma fille n'est pas à vendre à des traîtres comme toi, dit-il. Ote-toi de devant ma face ! »

CHAPITRE III

Le lendemain, il faisait brun encore lorsque Menaud cria le réveil. Il s'aperçut que le Délié avait décampé.

Les hommes, frissonnant dans leurs habits humides, s'approchèrent l'un après l'autre de la table, geignant que le pain de ce jour était amer.

Dans le ciel gris, le nordet poussait le troupeau de ses nuées, en longues bandes, au ras des montagnes.

Puis, soudain, la pluie s'abattit brusquement comme une tente qui s'écrase.

Il fallut quand même partir pour la Noire, et monter dans le portage que ravinaient les torrents de la montagne.

Pénible était la marche entre les branches, les foins chargés d'eau et qui trempaient, à chaque pas, le corps des draveurs.

Menaud piqua tout droit, par le côtoyage, vers la chute dont les grondements se faisaient entendre dans les accalmies du vent.

Tout cela annonçait le combat où s'engage la vie des hommes.

Que de fois, lui, n'avait-il pas risqué sa vie sur les embâcles !

Mais, depuis que Joson s'était mis en tête d'être aussi hardi que lui-même, les moindres cris de l'eau lui frappaient au cœur.

Sous les fouets de la pluie, l'un derrière l'autre, les hommes, pataugeaient dans les mousses et, s'arrachant aux broussailles, escaladaient misérablement les piquerons de la montagne.

Silencieux, ils portaient le poids des paroles entendues la veille.

C'était bien vrai, ce qu'avait dit Menaud, la veille. Tandis qu'eux, les pauvres draveurs, ils s'effiellaient le jour et grelottaient la nuit, les étrangers encaissaient tout le profit de ces misères !

Ils avaient mis le grappin sur tout.

Aussi, comme un vent de souffrance passait sur le pays tout entier, comme une plainte qu'on entendait parfois gémir au fond du sang.

Et ces âmes simples et douces avaient l'air d'interroger, comme des voyageurs perdus dans un pays mêlé de nuées et de brumes.

Alexis et Joson, eux, pleins de colère sourde, battaient en marchant, de leurs gaffes, les bords du sentier.

Au pied de la chute, le bois était immobile. Bloqué là, il s'était entrelacé, hérissé, arc-bouté aux parois de la cuve.

Et l'eau se précipitait là-dessus avec des cris de bête sauvage, car la Noire était folle, ivre de tous les torrents que lui déversaient les montagnes d'alentour et tout le ciel.

Menaud regarda longtemps toute cette masse inextricable.

Lui et ses hommes descendirent ensuite dans le trou de l'embâcle.

Sous les embruns qui giclaient, agriffés aux redans de la paroi rocheuse, tous, ils allongeaient les gaffes à têtes pesantes, s'épuisaient à harponner, bavaient des injures aux billots tenaces.

Menaud soutenait le travail, épiant du regard, prêt à crier le sauve-qui-peut.

Vers midi, il fit remonter les piqueurs, plus trempés que les pêcheurs de Maillard lorsque, sous les nordets d'automne, au milieu de leurs coffres, ils barbotent dans le grouillement des anguilles.

Puis, il envoya dire de lâcher l'éclusée du lac Noir.

On entendit d'abord un grondement qui dévorait tous les autres; et, bientôt, apparurent les têtes bondissantes de l'eau, pareilles aux vagues des équinoxes lorsque le vent les fouette et qu'elles embouchent les fleuves en hurlant.

Durant une heure, dans la coupe noire, tout trembla. Et si fort que, depuis l'éboulis dans la vallée des Erables, le pays d'alentour n'avait rien entendu de pareil.

Mais rien ne cédait encore.

De sa gaffe, Menaud indiquait, à travers le brouillard, la clef de l'embâcle.

Alors, il ne resta plus qu'un moyen: la longue perche et les cartouches de dynamite qu'il y avait attachées.

Il y inséra l'amorce; mais, comme il s'apprêtait à descendre, Alexis saisit vivement l'engin et descendit dans le gouffre.

Les autres à part Menaud et Joson s'étaient sauvés.

Mais, quand explosa la masse, Alexis, debout sur la falaise, montrait, en riant, les billes qui se disloquaient et bousculaient dans la Noire.

Et ce spectacle lui soulageait le cœur qu'il avait gros depuis la veille, à cause des paroles flétrissantes de Menaud:

« Nous sommes des lâches! des lâches! »

De plus, non! le Délié n'aurait pas fait cela.

Et l'image de la tisserande passa, au-dessus du gouffre, comme une vision d'espoir.

Menaud vit que le Lucon était un homme et qu'un jour, avec Joson, il pourrait... sur d'autres embâcles...

Mais il ne dit rien, et se précipita, à la tête de ses gaffeurs, dans le côtoyage pour éperonner le bois qui roulait en frappant la pierraille.

A sept heures, dans la Noire, il ne restait plus que la glane à faire au premier jour de beau soleil.

Et l'on s'en revint par le portage des vieux bouleaux dont l'écorce est rouge et ressemble à la peau des draveurs que la misère a fouettée.

Les hommes soupèrent en silence; et, dès la brunante, chacun, tombant de sommeil, avait regagné sa litière de sapin.

Mais Alexis, lui, ne dormait pas. Il avait les yeux ouverts sur les ramures d'ombre qui, dans le ciel des tentes, font des palmes sur la tête des misérables.

Le vent avait tourné au sud, et, sans doute, roulé les brouillards, à voir la clarté que blutait la toile.

Mais il était tard dans la nuit et le Lucon ne dormait pas encore.

Pourtant, il souffrait dans ses membres d'un besoin de repos: sa journée de piqueur méritait bien son prix de sommeil!

Mais, sous son front, la pensée lui allait et venait, montait et descendait sans pitié comme le tamias dans le creux des merisiers morts.

Il essayait de s'arrêter en lui-même; mais c'est de Marie qu'il ne cessait de s'inquiéter maintenant; et toutes sortes d'idées et de craintes l'obsédaient, entremêlées de beaux souvenirs et de regrets aussi.

L'un de ces derniers dimanches, elle était venue le reconduire jusqu'à la barrière; elle semblait le retenir...

C'était le moment de lui dire: « Je t'aime. »

Dans le gai printemps de Mainsal, tout provoquait à l'amour.

Mais même ce soir-là, il avait quitté Marie sans rien dire de ce qui lui chantait au cœur.

Et voilà maintenant que l'autre rôdait, rôdait autour de la belle et même autour de Menaud pour faire la grand'demande... sans doute...

Comme il souffrait, le pauvre ! au milieu des hommes enfouis tout autour dans l'apaisement du sommeil...

Au moins, non ! il ne serait jamais un lâche, dût-il en mourir...

Et peut-être qu'après avoir fait une grande chose, comme les paroles de Menaud lui en avaient allumé le désir dans le sang, peut-être que Marie...

Vers minuit, la lune émergea sur la tête des arbres. Ainsi que d'un vase, il s'en épanchait une coulée d'argent.

Alors le sommeil, doucement, se mit à passer ses mains dans les lourdes vagues de la chevelure brune.

Alexis s'endormit un peu.

Mais toutes les choses qu'il avait entendues la veille revinrent comme en songe. Toutes comme de belles images: celles des forêts et de la plaine herbeuse de son pays, celles de l'eau blanche qui dévale sur les rivières inclinées, celles de l'eau bleue qui s'étale sur les lacs tranquilles.

Il vit ensuite des sentiers qui emmaillaient toutes ces terres et des sillages qui ridaient toutes ces eaux.

Des hommes de sa race allaient et venaient dans toute cette étendue.

Alors, il leur demanda:

« Qu'est-ce que cela ? »

Ils lui répondirent: « Ce sont des images de ton pays. »

Puis ils ajoutèrent:

« Si tu aimes la liberté, écoute ! »

« J'aime la liberté, dit Alexis, et je voudrais mourir pour elle. »

Ils lui dirent:

« Tu parles comme tes pères ont parlé ! »

Alors le jeune homme entendit que les uns chantaient:

« Ohé ! nous avons marché sans peur ! Ohé ! nous avons canoté sans lasse ! Jamais personne, sous le soleil, n'a fait un tel butin ! Jamais personne n'a nommé dans sa langue tant de terres ni tant d'eaux ! »

D'autres vinrent à leur tour.

Ils disaient:

« C'est nous, les humbles défricheurs.

Ah ! durement, durement, et de l'aube aux étoiles, nous avons travaillé avec la hache et le feu.

Oh ! que de misères ont coûtées les champs de ton pays ! » Alors le jeune homme interrogea, et les siens répondirent: « Ce sont les voix du passé. Et maintenant, si tu aimes la liberté, écoute ! »

« J'aime la liberté, dit-il, et je voudrais mourir pour elle. »

Après quoi, il entendit comme une plainte qui s'élevait de tout le pays, une longue plainte qui ressemblait à celle de Menaud, la veille.

Et il se mit à souffrir comme si toute l'angoisse du peuple eût été en lui.

— Et demain ? demain ? demanda-t-il.

— L'avenir s'avance par des sentiers impénétrables, dit un Ancien. Mais, tu sais, maintenant. Délivre la liberté.

— Où est-elle ? dit Alexis.

— En toi-même. On commence à vaincre dès qu'on commence à vouloir.

— Je souffre, et je veux, s'écria Alexis.

— Désormais, souviens-toi; et marche. Avant partout !

Mais, comme l'aube était prochaine, le songe héroïque s'enfuit au cœur profond de la forêt vierge où habitent ces songes !

CHAPITRE IV

Au petit jour, quand on se leva, la rivière était en pleine crue; et le bois s'était mis à descendre. Menaud envoya un groupe d'hommes vers les hauts, pour surveiller les embâcles qui pourraient se faire; puis, avec Alexis, Joson et quelques autres, il poussa son esquif dans le courant, prit l'aviron de gouverne et se laissa descendre au fil de l'eau.

Une petite brise suivait en poupe, entraînant tous les bruits, tous les parfums et toutes les brumes qui descendaient par les coupes.

Le vieux maître-draveur jouissait de cette descente, l'œil vif et défiant comme celui d'un chasseur sur une piste dangereuse.

De temps en temps, il parait de l'aviron, criait hue ! dia ! aux rameurs quand un écueil labourait le courant et taillait la vague en oreille de charrue, fier de sa barque lorsqu'elle faisait des croupades et prenait des airs relevés au milieu des écumes et des gargouillements de l'eau.

Il se sentait libre enfin, humant l'air vif, et jouissant de revoir cette longue bande de forêt riveraine.

Cette fois, c'était bien elle, sa vie, que tout cela: paysages coupés de tourbières et de broussailles, lacs dorés du ciel, pâtis de brouillards, grandes barres de lumière, grandes barres d'ombre, jardins d'éricales, vasières gris bleu; et, sous le manteau d'apparence immobile, toute une vie réduite par l'hiver et qui se libérait soudain, se dilatait à l'aurore et s'exaltait en un vol aussitôt replongé dans la forêt humide du matin.

Aux Cayes, le bois se mit à dévaler, et si compact que cela ressemblait aux anguilles lorsqu'en automne elles affluent sur les battures vaseuses de la Petite-Martine.

Comme il y avait là danger d'embâcle, Menaud commanda de pivoter, et poussa sa barque à terre.

Puis il bourra sa pipe; et, comme s'il eût été seul, largua sa pensée au fil du courant.

Les siens, autrefois, avaient été les hardis cano-
tiers des Pays-d'en-Haut. Ah! des braves, ceux-là
et capables de pagayer durant des mois!

Puis il se mit à raconter qu'il avait souvenir
d'un vieil oncle de son défunt père, venu se prome-
ner chez lui.

Il revoyait encore ce bonhomme à longues
moustaches qui l'avait fait sauter à califourchon
sur ses genoux: « P'tit galop! Grand galop! » et
qui parlait aussi fort que Gagnon Tonnerre.

Une quinzaine durant, il avait fait défiler des
lacs, des rivières, des pays comme il y en a dans
les contes seulement.

Il disait des mots qui semblaient venir de loin,
de très loin, racontait des histoires de sauvages,
dépeignait des animaux étranges dont il imitait le
cri. Les uns descendaient de la toundra au printemps par mille et par mille. Les autres, au galop,
faisaient trembler la plaine comme une peau de
tambour.

Il racontait les grandes chasses, les longs portages, les prodigieuses randonnées; et tout cela exhalait l'haleine des pays neufs, un je ne sais quoi de
sain, de jeune, de viril, de mystérieux qui lui avait
donné, à lui, Menaud, le goût de faire l'outarde et
de filer vers les Pays-d'en-Haut. Mais, empêché par

les siens, il avait dû se borner à la barbotière aux pirons !

« On ne fait pas toujours ce qu'on veut dans le monde », prononça-t-il sentencieusement.

Après un long silence, tandis qu'au courant de la rivière, descendaient les riches dépouilles de la montagne:

« Anciennement, dit-il, on était les maîtres de tout cela... »

Puis, regardant Joson:

« Si j'étais plus jeune... »

Et, brusquement, pour cacher son regret d'avoir entraîné son fils dans un métier d'esclave: « Marie est seule, ajouta-t-il, et le Délié est parti pour en bas. Je suis inquiet. Si tu veux dire comme moi, nous retournerons demain à Mainsal... »

Mais, soudain:

« La rivière est barrée », s'écria-t-il.

Le bois, en effet, ne descendait plus.

Il commanda la remonte. Les hommes, pieds aux varangues, se mirent à forcer de rames.

Bientôt, il fallut remonter à la cordelle; et tandis que les uns gaffaient, les autres, le long des bords, à mi-corps dans l'eau glacée, halaient comme des bœufs.

Et tous ensemble, ils criaient: ohé! et crachaient de rage dans la face du flot.

Ohé! dans l'embarras des aulnes!

Ohé! dans les éraillures du courant où passaient des regrets de vie calme, là-bas!

« Ohé! un petit coup de cœur! »

Puis, on se rembarquait, ruisselant; et l'eau sifflait sur l'étrave, frappait à droite, à gauche, pareille au lutteur qui recule et rebondit soudain pour le dernier coup de flanc.

Vers les onze heures, toute l'équipe travaillait sur l'embâcle du banc de coquilles, à la gueule de la Noire.

Le bois des Eaux-Mortes s'était affalé là; puis, pressé par le courant, s'était dressé comme des chevaux de frise.

Les piqueurs se mirent à gaffer, gaffer pour ouvrir un chenal dans la masse; et quand un bloc se disloquait et s'écroulait à l'eau, les hommes se sauvaient à la course, et, si agiles, qu'on eût dit des écureuils jouant dans les renversis.

Parfois, un fantasque s'élançait sur une bille en flot, dansait le balancé ou chantait *Rossignolet sauvage* jusqu'au pied du rapide.

Le danger disparu, on se piétait de nouveau, joyeusement; car le sang de cette race était jeune au soleil; et les gars fringuaient dans les périls comme si toute la fougue du printemps était entrée en eux.

Et pique et pique et gaffe et gaffe encore ! au grand soleil qui forgeait les muscles et dégourdissait les sèves, dans la coupe bruyante où défilaient les prouesses viriles et les légendes du passé !

Soudain l'embâcle se mit à frémir, à gronder, à se hérisser.

La bête monstrueuse se dressa sur l'eau, se tordit, et se mit à dévaler en vitesse, tandis que, derrière elle, s'acharnaient toutes les meutes de l'eau.

Et les hommes couraient le long, piquant, criant des injures, poussant tous les hourras de joie remontés de leur vieux sang de chasseurs d'embâcles.

Joson, surtout, faisait merveille, ardent draveur, se démenant comme il faisait, l'automne, lorsqu'au bord des frayères du Gagouët, il gaulait les truites vers ses filets.

Ohé! ohé! Tandis que les hommes agiles trimaient des jambes et des bras sur les bords du chenal, et que le soleil, de sa cymbale d'or, frappait le pays d'alentour pour l'éveiller à la vie, Menaud s'exaltait devant le spectacle des gais vainqueurs d'embâcles.

Au-dessus du tumulte, passait dans la coupe, le souvenir des grands hardis, des grands musclés, des grands libres d'autrefois: défilé triomphal dans les musiques de l'eau guerrière, du vent de plaine et du vent de montagne, sous les étendards de vapeur chaude qu'au-dessus du sol libéré déployait le printemps.

Tout cela chantait:

« Nous sommes venus il y a trois cents ans et nous sommes restés!

« Nous avons marqué un plan du continent nouveau, de Gaspé à Montréal, de Saint-Jean d'Iberville à l'Ungava, en disant: « Ici toutes les choses que nous avons apportées avec nous, notre culte, notre langue, nos vertus et jusqu'à nos faiblesses deviennent des choses sacrées, intangibles et qui devront demeurer jusqu'à la fin. »

« Car nous sommes d'une race qui ne sait pas mourir ! »

Et Menaud s'imaginait voir Joson, Alexis, reprendre le pas héroïque, et bien d'autres encore avec eux, ralliés enfin par le grand ban de race.

Cette vision lui contentait le sang, et répondait aux reproches qui lui taraudaient le cœur.

Toutes ses lâchetés à lui, ses années sous le joug, c'est Joson qui rachèterait cela...

Il lui avait proposé de quitter la drave et de retourner à Mainsal.

Il serait dur, sans doute, de quitter la montagne, au moment où la lumière, le long des arbres, coulait comme un miel doré que buvait la terre; dur de tourner le dos, demain, à ces belles choses dont il connaissait la loi, le cri, l'instinct.

Depuis cinquante ans qu'il assistait ainsi à cette jeunesse des plantes et des bêtes, et, qu'au cœur de la forêt chaude, il allait endormir ses peines comme en une pelisse tiède où l'on fait son somme. Cette nature, elle semblait l'aimer depuis le jour, lointain déjà, où il s'était appliqué à la connaître.

Elle lui donnait l'air vierge et pur de la montagne, l'eau de ses sources, le bois de sa maison, l'écorce de son toit, le feu de son foyer qui, le soir, pour le plaisir de ses yeux, dansait follement comme une jeunesse sur les bûches et dont la chaleur lui caressait le visage, l'enveloppant dans l'or de ses rayons.

Elle lui donnait encore le poisson de ses lacs, le gibier de ses taillis; elle lui dévoilait le secret des cloîtres silencieux, des hauts pacages où broutent les caribous de montagne; elle lui avait appris la science des ailes, des crocs, des griffes, des murmures, depuis le frou-frou de la libellule dans les roseaux des marécages jusqu'à la plainte chaude et profonde des orignaux fiévreux dans l'entonnoir des coupes.

Mais il reviendrait bientôt, et libre !

Il apprendrait à Joson ce qu'il n'avait fait lui-même que sur le soir de sa vie...

Une clameur s'éleva !

Tous les hommes et toutes les gaffes se figèrent, immobiles... Ainsi les longues quenouilles sèches avant les frissons glacés de l'automne.

Joson, sur la queue de l'embâcle, était emporté, là-bas...

Il n'avait pu sauter à temps.

Menaud se leva. Devant lui, hurlait la rivière en bête qui veut tuer.

Mais il ne put qu'étreindre du regard l'enfant qui s'en allait, contre lequel tout se dressait haineusement, comme des loups quand ils cernent le chevreuil enneigé.

Cela s'agriffait, plongeait, remontait dans le culbutis meurtrier...

Puis tout disparut dans les gueules du torrent engloutisseur.

Menaud fit quelques pas en arrière; et, comme un bœuf qu'on assomme, s'écroula, le visage dans le noir des mousses froides.

Alexis, lui, n'avait écouté que son cœur. Il s'était précipité dans le remous au bord duquel avait calé Joson.

Et là, il se mit à tâtonner à travers les longues écorces qui tournaient comme des varechs, à lutter de désespoir contre les tourbillons de l'eau, à battre de ses bras fraternels, à l'aveuglette, vers des semblances vagues de forme humaine.

Et quand le froid lui serrait trop le cœur, il remontait respirer, puis replongeait encore, acharné, dans la fosse obscure, parmi les linceuls de l'ombre.

Non, personne autre que lui n'aurait fait cela; car, c'était terrible ! terrible !

A la fin, d'épuisement, il saisit la gaffe qu'on lui tendait, remonta en se traînant sur les genoux, se releva dans le ruissellement de ses loques, anéanti, les yeux fous, les lèvres blanches, les bras vides...

A peine murmura-t-il quelque chose que l'on ne comprit pas; puis il prit sa course vers les tentes, et se roula dans le suaire glacé de son chagrin.

Alors, semblable à un homme ivre, levant haut les pieds comme ceux qui tombent de la clarté dans les ténèbres, arriva Menaud, ses paupières baissées sur la vision de l'enfant disparu.

Et les hommes s'écartèrent devant cette ruine humaine qui s'en venait en se cognant aux cailloux du sentier.

Il demanda: « L'avez-vous ? », regarda les mailles du courant et dit:

« Il est là ! »

Puis, il prit sa gaffe, fit immobiliser une barque en bordure du remous, et se mit à sonder, manœuvrant le crochet de fer avec d'infinies tendresses.

Depuis deux heures maintenant qu'il cherchait, seul, ne voulant de personne, de peur qu'on ne blessât la chair de son fils, au fond.

Par intervalles, il exhalait une plainte sourde à laquelle répondait le bruit du fer sur les cailloux raclés.

Déjà, le soir fossoyeur commençait à jeter ses ombres.

Menaud entra dans une terreur d'agonie. Il regardait le ciel, suppliant qu'il eût, au moins, le cadavre de son fils pour l'enterrer là-bas près de sa mère.

A la fin, la nuit allait lever son dernier pan de ténèbres et murer le désespoir de l'homme, lorsqu'il sentit au fond quelque chose de mou qui venait. Il tira lentement sa gaffe.

Alors, émergea du noir, Joson, sa pauvre tête molle et ballante...

On rama vers la berge, en hâte, car le frisson gagnait le cœur des hommes.

A la poupe gisait Menaud, rabattu sur sa capture, et son visage appuyé d'amour sur le visage de son enfant mort.

Dès qu'il sentit que la barque avait touché, il prit le cadavre dans ses bras, et comme un personnage d'une descente de croix, monta vers sa tente parmi les suaires des brumes.

Vers les minuit, Menaud demanda qu'on le laissât seul.

Sa douleur ne supportait plus toutes ces paroles, tout ce mouvement autour d'elle.

Il attacha la porte de sa tente et reprit possession de son enfant à lui.

Il s'était agenouillé tout près; il passait ses doigts dans la chevelure froide et mouillée, couvrait de baisers le front pâle, caressait la cire du beau visage, tel un homme qui modèle un masque de douleur.

Au dehors, c'était une nuit semblable à toutes les nuits de printemps avec des rumeurs mystérieuses, entrecoupées d'appels, de cris, et, par moments, couvertes par l'immense chœur des grenouilles jouant du flageolet dans les quenouilles sèches.

Ainsi, cette nuit de mort était semblable à toutes les nuits de printemps.

Quant aux autres draveurs, ils dormaient tous, et le pouls du sommeil battait à pleines tentes; et les rêves jouaient avec les lutins dans la clairière des songes.

Pauvre homme !

Seul !

Maintenant, il revoyait tout. Depuis les heures heureuses quand Joson était petit, Menaud repassait toutes les étapes de la vie de son enfant.

Il avait été sa première récolte d'amour, sa joie de retrouver en lui, en son corps, en son cœur, en ses généreuses promesses de fleurs et de fruits, les images de tout ce qu'il aimait le plus: sa femme, puis le ciel, puis la terre et la liberté de sa patrie.

Un jour, il l'avait porté sur son dos jusqu'à sa cabane du trécarré d'où l'on a l'œil sur les montagnes.

Il se rappelait ce que lui avait dit alors tout le pays d'alentour.

Il s'était flatté de n'être pas à part au milieu de cette nature besognant toute à se survivre.

Et, plus tard, le voyant au-dessus des autres, comme un pin de haut lignage aux clochetons pleins d'azur et de rumeurs, il s'était lui, Menaud, dressé tout droit dans l'orgueil de son sang, et s'était fait des accroires d'avenir.

Joson ferait son chemin, sa marque...

Depuis quelque temps, le pays était en souffrance. Les étrangers empiétaient sur les rivières, les lacs, la forêt, la montagne. Mais Joson, d'âme libre et fière, prendrait le burgau, et, quelque bon jour, lancerait un appel à la liberté.

Et voilà que tout ce beau rêve gisait là, devant lui, sans espoir, maintenant.

Son enfant était mort à pic, sans même laisser les consolations que laissent presque tous les morts: les sacrements, les prières, la dernière parole sainte qu'on se répète, le soir, en famille, et qui, au-dessus du malheur, fixe les yeux comme sur une aube surnaturelle.

Et le pauvre homme se reprochait d'avoir entraîné son fils dans la violence des choses, de l'avoir dérouté loin des conseils de sa mère, d'avoir fouetté même, au milieu des périls, cette nature ardente, nerveuse, qui demandait toujours.

Il aurait bien pu se fixer comme les autres, là-bas, qui vivaient à gratter la terre entre les roches, à boulanger des mottes en dedans de leurs clôtures: ceux-là mouraient dans leurs lits.

Mais le tourment du bois et une mystérieuse loi du sang l'avaient emporté.

Depuis que les étrangers empiétaient sur le domaine de ses pères, il avait cru l'entendre pâtir; et c'est pour cela surtout qu'il y revenait: pour lui jeter des espoirs de délivrance.

Et dire que toutes ces choses auxquelles il avait donné le meilleur de lui-même l'avaient trahi !

Cependant, une lumière triste et pâle roulait sur l'océan des arbres, par vagues silencieuses, avec des creux sombres et des cimes d'argent.

Et, de partout, s'élevaient des brumes légères qui montaient vers la lune du gai printemps.

Le Lucon, lui, s'était mis en route vers Mainsal pour annoncer la funeste nouvelle. Il allait grand train, le pauvre, et si vite, inconsciemment, qu'il devait s'arrêter parfois.

Il s'asseyait un peu. Alors des battements lui claquaient aux oreilles; et cela ressemblait à des voix qui lui faisaient peur. Puis, il repartait en flèche, et tendait de nouveau sa pensée entre la vieille maison grise et la tente de mort.

Vers le soir, tout le rang de Mainsal vit sortir des arbres et descendre vers les terres faites un étrange convoi.

Ce n'était plus le torrent des hommes lorsque, après les draves, ils dévalaient de la montagne, et se précipitaient dans le chemin des maisons, avec des ailes aux bras, joyeux comme des canards qui prennent l'eau.

Non ! Cela descendait lentement, en silence, se perdait sous les taillis, émergeait au crépuscule, replongeait de nouveau, tandis que, dans les herbes des buttes, les dernières faux du soleil coupaient les dernières gerbes de lumière.

Tout le rang avait les yeux sur ce qui, tristement, à travers les broussailles et les flaques d'eau rousse, s'en venait comme une chose qui aurait eu peur de s'en venir; et toutes les voix s'étaient éteintes au bord des galeries où les paysans de Mainsal avaient coutume de jaser et de boire la fraîche du soir.

Le cortège avait pris le grand chemin. Il houla sur la bosse du pont. Menaud suivait la boîte, tête basse, ayant conscience, à chaque pas, que des portes sombres fermaient toute chose à jamais, derrière lui, n'osant lever les yeux vers ce qu'on

79

entrevoyait déjà dans le détour: la vieille maison grise où la douleur allait entrer pour n'en plus sortir jamais...

Les enfants accourus aux clôtures grimpaient sur les pagées; puis, s'effarouchant soudain, remontaient vers les portes pour se blottir contre la mort dans les jupes des femmes.

Tout le monde maintenant ralliait le cortège.

Et cela traçait, dans le brouillas de l'ombre, un sillage de pitié, de tendresse, de paroles douces comme des prières. Car tous ces voisins-là pouvaient bien se chamailler jusqu'au dernier sou pour une question de clôture, mais, dans le malheur, tout le monde pleurait ensemble comme des frères nés dans le même berceau.

Devant la maison, la voiture s'arrêta sec.

Alors un cri déchira le silence de Mainsal.

La sœur de Joson sortit, se retourna contre le chambranle de la porte, et son cœur se mit à battre comme un marteau funèbre annonçant l'entrée de la mort.

CHAPITRE V

Maintenant, les soirées sont tristes chez Menaud.

Le jour... passe. On écarte le chagrin de sa pensée avec ses bras, ses jambes.

Il y a tant à faire sur la place neuve où piaffe le grand soleil, tant de traîneries de l'hiver à ramasser !

Il y a les feuilles qu'on brûle, l'herbe qu'on étrille sur la devanture de la maison. Il y a les bûches à fendre, à corder soigneusement, bien en ligne, écorce dessus, bois dessous. Il faut redresser ses piquets, consciencieusement, dans les mêmes trous, pour éviter les procès de clôture. C'est un lien d'aulne qui s'est relâché; c'est un pieu qui manque.

On sort de la remise le râteau, la pioche, la bêche. C'est la terre qui demande cela. On va parfois où mènent ses pieds. On retrouve ses vieilles pistes de l'automne. On reprend le chemin qui mène au pacage, au labour, à l'abatis, avec, derrière soi, les petites dindes qui piaulent et partout, tout autour, les oiseaux qui battent la mare ou sautillent sur la motte.

Et tout cela, tandis que le soleil fait fleurir la terre et prépare le berceau du sillon.

Puis, quand tout est prêt pour le grand matin, de bonne heure, on prend le grain bénit, et le père lui-même, prêtre du labour et de la moisson, le mêle pieusement à la semence.

C'est alors la sainte liturgie du blé qui se déroule, le moment solennel où la famille, à genoux, face à la croix noire au-dessus de la huche, renouvelle l'antique alliance.

Puis on se signe et l'on part. Marche! marche! On sème; le geste est large. On donne à la terre en fringale tout son content de blé. De loin, c'est comme si l'on prenait à même son cœur. Et c'est ainsi qu'on va tout le jour avec du vent dans ses cheveux, une chanson sur ses lèvres.

Puis, on s'en revient au couchant, et l'on s'endort d'un bon sommeil tout comblé de rêves de gerbes, de promesses de pain.

Mais hélas ! il n'en allait pas ainsi chez Menaud où, dès le seuil, l'homme devait reprendre son fardeau de chagrin.

Maintenant, il n'allumait plus sa lampe qu'à l'heure des étoiles, pour épargner à ses regards la chaise où Joson fumait sa pipe, sa chambre qu'on avait fermée, et tous les menus objets qui avaient été à son usage.

A travers toutes ces ombres de deuil, allait Marie, sur la pointe des pieds, étouffant les bruits de ménage qui débordaient auparavant par les fenêtres ouvertes et se mêlaient aux clarines des vaches et aux mille cloches du gai printemps.

Bien seule, la pauvre, maintenant ! avec cette présence d'un homme qui ne parlait presque plus, et refermait sur lui-même la chape noire de ses pensées de mort.

Le Délié n'osait plus se montrer depuis sa déconvenue de là-bas.

Aussi, les soirs sombraient-ils tous dans la même tristesse de veillée funèbre.

Il fallait attendre l'heure du coucher dans un silence que remplissaient seuls les versets de son amour plaintif à elle et de sa douleur à lui.

De temps en temps, Menaud veillait dehors, sans rien faire que de fumer d'innombrables pipes, près de sa boucane à mouches. Baron se couchait à ses pieds, immobile, tant qu'un vol de chauve-souris ne venait pas faucher devant ses yeux. Alors le chien se levait, irrité sous la broussaille de son poil, jappait deux ou trois jappements, et s'écrasait, la tête entre ses pattes, jusqu'au prochain oiseau.

Parfois, un voisin venait veiller: Eugène à Josime, le plus souvent. C'était un grand sec, à visage de fer et de rouille comme les outils du printemps, mais bon comme la terre et sage autant qu'elle.

Léda, sa femme, venait aussi faire son tour. Ah ! du bon butin, cette grosse paysanne à teint fleuri. En plus de faire de l'étoffe et de la toile pour ses six hommes, de broqueter dans les foins, de couper à la faucille dans l'abatis, de relever les femmes du voisinage, elle trouvait, au printemps, le moyen de piquer ses dix gallons de gomme dans la sapinière du pied des monts.

Quand il venait, Josime s'asseyait à califourchon, les bras appuyés sur le dossier de sa chaise. Il commençait ensuite son éternelle chanson: la terre. Il en parlait d'une voix nasillarde, lente, de son train de bon laboureur calme et fervent.

Il jasait du chaud et du froid, du sec et du pluvieux, repassait l'une après l'autre les vieilles remarques de l'ancien temps: la lune cernée, les grenouilles, l'hirondelle au ras de terre, la grêle qui saute, la fumée qui bavole ou qui monte, droite comme un épi.

Il s'était fait une sorte de calendrier en images où le vent des Jours saints, la fête des Sept Frères, les mœurs de l'ours, de l'écureuil, de l'araignée, de l'oiseau, la neige, les étoiles, la lune rousse, et jusqu'au tonnerre de novembre lui représentaient les signes du temps.

Il parlait du sillon dont il connaissait le point comme sa femme, celui du four, de la belle partance de l'herbe, de la bonne levée du grain, pour en revenir toujours à l'épi que l'on froisse, le dimanche, entre les meules de ses mains calleuses et, qu'après avoir soufflé sur la bale, on soupèse pour voir s'il est bien rendeux.

Mais tandis que, sous les yeux de Josime, l'eau des mares, des rigoles, prenait l'ardente couleur du chaume, et que, des champs roux, montait une vapeur comme celle qui fume sur le dos des bœufs, les regards de Menaud partaient vers les monts où, peut-être, il ne retournerait jamais plus; et, d'impatience, il allumait pipe sur pipe pour en secouer aussitôt les braises dans sa main; et, de son cœur, montaient de vieux mots agressifs qui revolaient dans la brunante comme des étincelles.

Josime, impitoyablement, jusqu'à la nuit noire, tournait dans le même champ, sans cesse.

Il s'arrêtait après avoir parlé de ses fils qu'il mettrait tous en lieu de vivre sur le vieux bien, sur sa concession des Frênes, sur son beau plan de terre du pied des monts dont il racontait avec une sorte d'extase que c'était la graisse de la montagne, charriée par les eaux du printemps, qui lui donnait son foin à verse.

Puis, il s'en allait de son pas d'homme-tranquille, sans autre souci que de lire ce que les étoiles disaient du lendemain.

Avant de rentrer, Menaud écoutait, tristement, sur le seuil de sa maison. Quand l'air était de l'est, une rumeur montait de là-bas, par vagues, inondant toute la nuit de Mainsal. C'était la voix funèbre de la rivière qui tue les enfants qu'on aime.

Lorsque le temps sort des marécages et passe au beau, on sème ses patates. Le voisin fait aussi les siennes, dans le jardin d'à côté.

On part dos à dos, on revient face à face, en suivant le sillon.

Puis, on fait halte à la clôture, on allume, on devise, on se passe les nouvelles: c'est la loi.

La femme à Pierre guettait l'adon depuis long-temps.

Elle amena son histoire de loin, puis lança:

« Marie fait parler d'elle... »

Menaud, tête basse, se mit à frapper à coups de botte son piquet d'appui.

— Bah ! des chipoteries, dit-il. As-tu autre chose à me dire ? Tu sais bien que ce plomb-là n'entre pas dans le cuir à Menaud.

La femme s'était fait un éventail de son tablier.

Les mouches noires bouillonnaient dans la mar-mite du grand soleil.

— Crois-le, crois-le pas, reprit-elle, le Délié s'est vanté à la porte de l'église, hier, qu'il se mariait avec ta fille, après les récoltes.

— C'est vrai, dit Pierre, en dégraissant ses bottes sur un pieu de clôture.

Cette fois, le coup avait porté droit au cœur.

— Sapregué ! dit Menaud, qui vivra verra.

Il saisit sa bêche, referma à la hâte son dernier sillon sur les germes, passa sa chaudière dans le manche de l'outil, et piqua droit à la maison avec cette ferraille qui lui sonnait sur le dos comme une cloche en colère.

A l'abord, il ne voulut rien laisser paraître à Marie.

Mais les bêtes et les choses qui se trouvèrent sous son poing goûtèrent à son humeur.

Les jarrets durs, il mordait la terre à pleins clous de bottes. Il allait du hangar à l'étable, de la remise à la grange, sans dessein de travail, mais pour le seul besoin de faire sonner haut tout ce qui lui tomberait sous le poing. Mais partout où il trouvait à s'asseoir, il s'effondrait, le pauvre ! et le cœur lui débattait à l'idée de ce mariage qui s'en venait détruire le dernier espoir de son sang.

Ce soir-là, il fixa des yeux étranges sur Marie, repoussa sa soupe, s'en alla dans la chambre à Joson, prit sa bougrine et, son feutre sur les yeux, sortit sans parler.

Marie, tout en peine, courut à la fenêtre.

Elle vit qu'il tirait par les aulnes, derrière les bâtiments, pour gagner le chemin des vaches qui longe le ruisseau.

Quelques minutes plus tard, il émergea des feuilles, gravit la colline de la Miche.

Il s'était arrêté derrière la butte, sans doute, car sa tête, un instant, parut immobile et semblable à celle d'un ours qui guette une bergerie.

Marie eut peur: ce qui menaçait ainsi, c'était son père, celui qu'elle aimait de toute sa tendresse depuis le dernier malheur surtout.

Et les souvenirs de son dévouement montaient par le sentier des vaches eux aussi, et rythmés de sanglots, comme un reproche contre le geste que son père faisait là.

C'était pour lui qu'elle avait tenu cette maison dans l'ordre et la lumière; pour lui, qu'elle avait contraint sa jeunesse à des habitudes de vieillard; pour lui, qu'elle s'était appliquée à tout adoucir des choses qui pouvaient heurter cette nature farouche et libre; pour lui, qu'elle s'était enfermée dans cette vie solitaire comme en un cloître, pour ne rien troubler du calme et du silence dont la douleur de son père avait besoin...

Il n'aimait point le Délié.

C'était sa bête d'aversion.

Mais qu'avait-elle pu, elle-même, la pauvre, contre ce grand gars qui l'avait prise par la violence d'un charme émané de ses regards, du sang de son visage tumultueux, de sa force, de sa démarche même et dont les instances avaient éveillé en elle des choses qu'elle ne comprenait pas encore.

Elle avait, bon gré, mal gré, donné son consentement pour l'automne, mais elle s'était réservé d'en parler à son père; elle avait espéré qu'elle le réconcilierait peut-être avec celui à qui elle s'était promise.

C'était déjà l'heure où s'arrête le travail des champs. Le soir était tout plein de longs appels chantés, de meuglements de vaches, de pas de chevaux qui dévalaient lourdement les pentes et faisaient sonner les chevilles de fer de leurs colliers d'attelage.

Menaud avait disparu là-bas.

Quelques instants plus tard, Marie entendit un homme qui sifflait une chanson dans le grand chemin.

Elle reconnut la voix, fit la muette.

Le Délié fouillait lentement, de son regard, le silence de la maison grise.

Quand il eut dépassé, vite, elle se coiffa d'un châle et se sauva chez le voisin par le raccourci.

Il y avait au bout de la terre à Menaud une cambuse qui lui était chère autant que la prunelle de ses yeux. Son père l'avait bâtie. Menaud se rappelait la meule qu'il avait tournée, tournée, et l'éclair de la grand'hache sur les plançons de pin. Lui, en souvenir, il avait entretenu cette relique, remplacé les dalles de la couverture, rebouché les fentes que le vent d'hiver s'amuse à décalfeutrer.

Il y avait de tout là-dedans: ferrailles, vieux boulons, tarauds, paquets de broche pour les radoubs d'urgence, pièges de chasse et jusqu'aux baguettes de frêne dont Joson faisait les fûts de ses raquettes.

C'était la retraite à Menaud. Il s'en venait là, par les beaux dimanches d'été, se remplir l'âme de sagesse et de paix.

Il commençait par un bon somme sur sa litière de sapin, s'installait ensuite sur une bûche, bien en vue, et là, il s'ouvrait le cœur au bleu profond de la montagne, aux champs, aux bois.

A trois heures, un vent de cloches soufflait du côté des Frênes. C'étaient les vêpres, et cela houlait, le grand Magnificat de la Vierge et le magnificat des blés, des foins luisants et de toutes les choses humbles et pures, depuis Miscoutine jusqu'à la montagne à Philémon.

Menaud s'acquittait alors de ses Avé, pour revenir, au baisser du soleil, la tête froide, sereine et du bon pas du vieux temps.

Mais, ce soir-là, n'étant pas d'équerre, comme on dit, il brusqua la porte de sa cabane, et comme il faisait brun, déjà, il tâtonna vainement pour retrouver son bougon de chandelle et partit à sacrer contre les mulots.

Dehors, il se demanda ce qu'il était venu faire avec ses pensées de violence, lui, vieillard rabougri, dans cette fête de printemps.

De partout s'exaltait la rumeur des choses qui ne veulent plus s'arrêter de croître, montaient le cantique de joie, le cri de liberté des champs, des bois, des montagnes...

En bas, s'allumaient les maisons de Mainsal.

Alors, Menaud brandit le poing. De son vieux fonds de révolte, sortait sa rancœur contre l'avachissement des siens.

Ils en étaient rendus là, à ne plus rien comprendre de ce que disait la voix des morts, à trahir les saintes alliances de la terre, à se laisser dépouiller comme des vaincus, à consentir, dans leur propre domaine, à toutes les besognes de servitude, à vendre même l'héritage contre le droit des enfants et les contrats du passé.

Oui! il irait, avant longtemps, le prendre à la gorge, ce Délié, pour lui faire sentir, dans sa chair de lâche et de vaincu, qu'il n'aurait pas sa fille.

Parce que lui, Menaud, devait à ses pères de ne pas abâtardir sa race.

Cela, il le devait aussi à Joson, mort au moment où il allait pousser son cri de liberté sur toutes les hauteurs de l'héritage.

Il le devait à la terre qui avait donné, depuis trois siècles, le meilleur d'elle-même pour que la race fût forte, hardie, vaillante, souveraine.

Pas de croche dans la ligne! Non! jamais! Cela, c'était le devoir de son sang.

Le sillon avait été tracé ainsi, droit, d'un trécarré à l'autre de l'immense pays.

Avant qu'il fît noir à plein, Menaud quitta sa retraite, longea la lisière des arbres, caressant les feuilles qui, toutes humides, léchaient comme des bêtes familières.

Il trigauda par les souches jusqu'à l'abatis qu'il avait préparé, avec Joson, l'automne d'avant. Il y fourra un bottillon d'écorces, puis alluma. La flamme soudain jaillit, grésilla les sapinages.

Cela réjouissait ses yeux.

Il allait, venait, tout autour, parlait seul, jetait au feu, au travers des branchages, toutes les rancunes de son sang: et ce spectacle soulageait dans son cœur son besoin de violence.

Cela se ferait un jour, partout! On verrait ce signe s'allumer sur toutes les buttes de l'immense pays!

Ce drapeau vivant et clair jaillirait du sol pour le ralliement de race!

Il serait le signal de la délivrance. Le peuple briserait les liens dont la trahison, la veulerie l'avaient chargé!

Toutes ses énergies se relèveraient pour un avenir de liberté!

Vers les onze heures, Menaud rabattit son feu et, lent, parmi les ténèbres, reprit le bord de la maison.

Il s'arrêtait de temps en temps pour goûter l'air de la nuit tiède qu'aromatisaient les résines sauvages, le baume des peupliers et les senteurs chaudes descendues du brasier.

Et la lune se levait là-bas, rouge comme la gueule d'un four.

Lui, du clan des loups de bois, jamais il n'avait tant aimé la terre, toute la terre de son pays, mais surtout cet âpre rang de Mainsal, décrié par tous les laboureurs de glaise; jamais il n'avait tant aimé ce sol jaune où il avait pris souche, ce sol libre parmi tous les sols, avec ses champs isolés les uns des autres par les haies de ses mascots et de ses cerisiers, tous à contre-pente l'un de l'autre, et jaloux, chacun, de dire, en secret, son mot au soleil, à la pluie, fiers, chacun, d'avoir sa petite enclave de terre à blé, de pacage, de jardins, pourvus, chacun, de ses bouleaux pour le feu d'hiver, de ses aulnes pour le four, le lien ou la tisane, de son abatis pour le seigle d'automne, de sa barbotière à pirons, du vif argent de son ruisseau, du saphir de ses bleuets, de sa talle odorante de framboisiers.

A travers tout ce domaine, allait la vieille route aux ornières, point raide ni pressée, mais souple comme une chaîne de danse, et dépliant ses révérences et ses détours au hasard des buttons et des baissières; et, bordant la route, toutes les maisons qui, dans les creux ou sur les buttes, bourdonnaient gaîment.

Menaud ne se souciait plus guère de sa couchette. C'était le temps de lier bonne gerbe à cette heure où la solitude, le silence, la paix rendaient à plein.

Il obliqua vers la mare à Josime, marcha dans la rosée des joncs neufs, jusqu'au bord où les grenouilles, par intervalles, muettes, buvaient leur lait de lumière, ou, soudain, toutes ensemble, poussaient une clameur qui vibrait jusqu'aux sillons lointains.

Tous ces rites des semailles où, dans la grande nuit de printemps, alternaient les parfums, les voix, la clarté de lune et d'étoiles, étaient frères des cérémonies saintes, rappelaient l'encens, les cantiques, les cierges.

Ils avaient, comme les rites d'Eglise, façonné l'âme des laboureurs, établi, au cours des siècles, un parfait accord entre les mœurs de l'homme et la vie des champs.

Ils prêchaient la confiance dans le calme, enseignaient la valeur du travail et le prix du repos, révélaient des lois saintes, immuables, tranquilles, dans le bénéfice desquelles on entrait dès qu'on avait promis à la terre son labeur et sa fidélité.

En somme, tout cela, tout autour, dans les champs et sur la montagne, assurait qu'une race fidèle entre dans la durée de la terre elle-même...

C'était là le sens des paroles: « Ces gens sont d'une race qui ne sait pas mourir... »

On avait survécu parce que les paysans comme Josime, les coureurs de bois comme lui-même, s'étaient appliqués, d'esprit et de cœur, les premiers, aux sillons, les autres, à la montagne, à tout le libre domaine des eaux et des bois.

Les paysans avaient appris de la terre la sagesse lente et calme, la volonté tenace de parvenir, la patience des lentes germinations, la joie des explosions généreuses de vie.

C'était sur la terre féconde, parmi les gerbes, qu'ils avaient pris le goût des berceaux pleins d'enfants.

Les coureurs de bois, eux, avaient conquis sur la forêt elle-même leur hardiesse au milieu des périls, leur endurance à la misère, leur ingéniosité dans tous les besoins.

Ils s'étaient fait une âme semblable à l'âme des bois, farouche, jalouse, éprise de liberté; ils s'étaient taillé un amour à la mesure des grands espaces. Ils avaient tous, depuis les lointaines et prodigieuses randonnées des leurs, dans le passé, un orgueil de caste et comme un droit d'aînesse sur le sédentaire des champs.

De tout cela, rien n'eût été possible sans un instinct de possession né de la vie elle-même.

C'est cet instinct qui avait poussé tant de héros jusqu'aux limites des terres de ce pays, entraîné tous les défricheurs à poser, sur les droits de découverte, le sceau du travail et du sang, mis toutes les volontés en marche de conquête, emporté toutes les énergies jusqu'aux confins du domaine.

Posséder ! s'agrandir !

Pour une race, tout autre instinct était un instinct de mort.

Ennemis, les frères que cet instinct ne commandait plus; ennemis, les étrangers qu'il commandait contre nous !

Posséder ! s'agrandir !

Tel était le mot d'ordre venu du sang, tel était l'appel monté de la terre, la terre qui, toute, dans la grande nuit de printemps, clamait: « Je t'appartiens ! Je t'appartiens ! par le droit des morts dont je suis le reliquaire sacré, par tous les signes de possession que, depuis trois cents ans, les tiens ont gravés dans ma chair ! »

L'ombre était maintenant diaphane; et, là-bas, à travers les bouleaux de cime, l'aube commençait à blanchir.

Menaud contourna la mare, claquant de la semelle, ici, dans les foins bleus, là, dans les roseaux verts.

Il avait le cœur gonflé de mille choses ineffables, comme si toute la vie du printemps y eût versé ses tumultes, ses élans, la force obscure de ses germinations.

Il rentra chez lui sur une griffe, gagna le bord de sa couchette et s'y étendit tout rond.

Il aurait eu faim de dormir; mais il se sentait la tête en serre dans sa main, et l'esprit lui vibrait comme une lame dans l'étau.

Vers les cinq heures, il se leva tout d'une pièce, prépara la pâtée de ses cochons, fit son ménage, et, de retour, se tailla une grillade dans le gras d'une bajoue.

Ensuite, il prit son thé, la tête dure et tenace dans le courant de lumière tendre qui coulait du matin.

Il vit que sa fille avait pleuré. Elle ne parlait pas, et cela lui pinçait le cœur.

Le deuil de Joson était bien assez lourd sans ce silence...

Il eût fait mieux de parler, de vider, une bonne fois, le sac à chicane. Marie saurait tout comprendre.

Mais, comme s'il avait eu peur de faiblir, il s'avisa de prendre le large une seconde fois, pour bien mûrir son prône à la fiancée.

Il jeta dans son sac un quignon de pain, quelques grillades, sortit sa perche à truites, piocha des vers, et hue ! sans dire bonjour ni rien, il prit la route du Grand-Lac.

Le jour était chaud déjà et l'air, à la fête. Menaud, après avoir en vain deux ou trois fois battu son vieux briquet de colère, dut s'apaiser un peu à la vue des cerisiers et des sureaux dont les sèves trop longtemps contenues par l'hiver, éclataient au soleil.

Et donc, par le chemin d'amour, de fleurs et d'oiseaux, par le chemin qui contourne les collines et, nonchalamment, muse de cavées en raidillons, Menaud atteignit la grande place de l'eau.

Il obliqua vers les pins, à travers les sables jaunes, et poussa sa barque vers les roseaux du Mitan.

Hé! diable! il avait la touche forte, comme on dit. A chaque coup, la proue se mâtait et, derrière, ondulait la queue du sillage, avec des verts et des bleus comme celle d'un paon.

« Il y a du bougre! » fit Menaud...

On voyait, au-dessus des joncs, se mouvoir comme la brimbale d'un puits. Un pêcheur était là.

Menaud alarguait déjà vers les aulnes du Gagouët, où il pourrait être seul, lorsqu'il reconnut le Lucon qui, debout, lui faisait signe.

— Pas de chance! la truite est au fond des herbages, dit le jeune homme. Nous fumerons.

Menaud s'approcha.

Le visage d'Alexis lui plaisait, son courage surtout! Le souvenir de la Noire, celui de la pêche au cadavre de Joson dans la fosse glacée, cela ne s'oublierait pas de sitôt.

Lui, du moins, n'était pas de ces lâches prêts à troquer pour quelques piastres tous les trésors de l'héritage, de ces dégénérés contre lesquels s'élevaient le passé, les champs, les bois.

— Rien de neuf ? demanda le Lucon... Et Marie ?

Un petit air de vent frôla les roseaux secs et fit comme un frissonnement de libellules lorsqu'elles se poursuivent d'amour, dans les prêles.

Menaud haussa les épaules et regarda affectueusement le jeune homme qui tordait un chaume de quenouille, pour la contenance.

Il y eut un silence durant lequel, sous la chaleur qui piquait le sang au vif, des bœufs traversèrent les aulnes, descendirent flairer l'eau; et, tandis qu'elle leur coulait aux mufles comme des fils d'argent, ils beuglèrent tous, les dents sorties, vers les vaches de Miscoutine.

— Retournes-tu là-bas ? demanda Menaud.

Là-bas voulait dire la rivière, la glane qui se fait sur la fin des draves.

—Non, répondit le jeune homme. Non ! Je penserais à Joson, à cœur de jour. C'est bien terrible comme je m'ennuie de lui.

—Qu'est-ce que tu comptes faire entre ci et les chantiers ?

—J'ai dessein de prendre le large, — le Lucon se mit à bredouiller, — vers l'Ouest, bien loin... chez les sauvages... Il paraît qu'il y a de grandes rivières dans les Pays-d'en-Haut et de la pelleterie en masse. Ici, bédame ! Cela se dit qu'on va perdre...

Il désigna la montagne qui décorait tout le pays d'alentour comme un feston d'émail bleu au bord d'une faïence.

« Le Délié, continua-t-il, est parti d'avant-hier avec des étrangers qui veulent tout avoir. Avec de l'argent, ils l'auront bien. Lui, il aura la garde... mais nous autres... »

Nous autres, cela voulait dire: nous, les héritiers, nous subirons la loi des traîtres !

Menaud s'était levé tout grand debout et, la main vers les monts:

—Cela, non jamais ! Non jamais ! dit-il.

Puis, enfonçant ses regards dans les yeux sombres d'Alexis et jusque dans la profondeur du sang où frémissaient toutes les forces de combat:

— Veux-tu ? lui demanda-t-il.

— Je le veux, répondit le jeune homme.

Alors, le Lucon se rappela ce qu'il avait entendu, une nuit, au bord de la grande rivière.

« Reprends le sentier de tes pères et marche ! Avant partout ! »

Et, sur son cœur, la lettre jalousement conservée, la lettre où Marie, l'automne d'avant, avait tracé pour lui les signes cabalistiques des amours paysannes: des entrelacs de cœurs et des croix, la lettre qu'il croyait morte pour toujours se remit à battre.

Aussitôt, tous deux piquèrent du côté de Mainsal, l'un, vers la justice et l'autre, vers l'amour.

CHAPITRE VI

A la Sainte-Anne, les bleuets sont mûrs. C'est
le raisin de chez nous; c'est le fils du feu; du sol
humble et pierreux, c'est l'offrande; c'est le miel
des crans sauvages, le frère des éricales dans le
royaume infini des sphaignes et des tourbières.

Alors, en juillet, gourmandes, les belles grappes
se gorgent de soleil et de sucre, et ressemblent à
des œufs de merle dans le nid des feuilles gla-
bres.

Alors, partout où la charrue ne peut aller, dans
toutes les solitudes lointaines et les savanes sans
fin, roule la vague opulente et joyeuse des airelles
bleues.

C'est la richesse du pauvre, le présent de notre
terre à nous, sa douceur, son fruit d'amour.

Alors, les oiseaux grappillent tous au festin des bleuets; et, gavés, le long des jours chauds, s'endorment les ours, le museau dans les talles.

Les piqueurs de gomme qui suivent le flot d'or des sèves dans les fûts de la sapinière, descendent à midi dans la douceur des grappes, et s'empiffrent en faisant rouler dans leurs mains gommeuses les baies tièdes et sucrées.

Et les enfants s'en donnent à la régalade, et se disputent les plus belles; et, criant, se soûlent de fruits et se barbouillent comme des vendangeurs.

Alors, les bleuetières, on les voit aussi se fleurir de filles brunes au large chapeau sous lequel, — ah! les coquettes, — brillent, comme deux bleuets de velours, des yeux amadoueurs; et, parfois, à la même grappe, les doigts entremêlés, le beau gars du voisinage et la cueilleuse se parlent à l'abri du mélèze odorant...

Mais quand approche l'importun, le merle et la merlette, ah! vite, vite, s'éloignent... et, confus, laissent voir... plus de rouge au visage que de bleu dans l'écuelle...

Ce matin-là, Marie sortit vers les jardins des hauts où tallent les bleuets parmi les roches barbues de lichens et les crans austères.

Bah! vêtue tout ainsi, la fille! Jupe grise, matinée d'indienne et souliers de beu'; mais alerte et bien en sève, et telle qu'autrefois les femmes de ce pays allaient aux champs.

Le cœur du jour était chaud. Et les veillottes au soleil fumaient comme des cassolettes; et les taurailles cherchaient l'ombre des aulnes, et de leurs queues fouettaient la nuée des mouches.

Au bord du bois, pour se rafraîchir, la cueilleuse s'assit, là, sous l'ombrelle claire d'une plaine; et, pour éteindre sa gorge, une source lui versa gaiement une rasade glacée.

Ensuite, pars à la cueillette! Et les fruits tombaient; et, tin! tin! sonnait le fond du vaisseau; et, tire! tire! la fille allait à merveille, et d'avance comme on dit.

Mais, de temps en temps, il fallait bien se relever; et, aïe! aïe! les reins! Alors, du haut de la butte aux bleuets, Marie pouvait voir tout Mainsal et ses prolongements jusqu'aux montagnes.

Elle regardait la terre avec tendresse, prête, comme tous ceux de sa race, à oublier les rigueurs du long hiver pour un bon coup de soleil bu parmi les fruits de l'été.

Dans ce pays-là, on n'était pas riche; mais on y respirait le bon air; et, toujours, le vent y faisait tourner quelque parfum, soit des bois, soit des champs. On vivait loin des autres; mais, aussi, loin de la poussière des grandes routes, et plus libre que ceux des villes.

Pas riche, non! Mais on y buvait un lait portant son doigt de crème; mais les légumes y étaient sucrés comme des fruits, et la chair des animaux vous avait un goût venu, peut-être, de l'abondance des rosées ou bien de l'eau des sources où les troupeaux vont boire.

Son tour d'horizon parcouru, Marie se raccroupissait suivant l'adon des talles; et, recueillie, tout comme on fait un rosaire, elle égrenait ses grappes.

Ah! sur le lait du grand bol de faïence, flotteraient, au souper, les grains de saphir; et son père... peut-être... lui dirait que c'est bon; et peut-être... aussi, dans la maison grise, reviendrait le temps heureux où l'on se parlait même lorsqu'on n'avait rien à se dire.

Ainsi trimait la cueilleuse, lorsqu'en arrière, elle entend un froissis de feuilles et de branches. Elle se devire et, bonne sainte! le cœur lui débat et le sang lui monte au visage: le Délié était là, en pleine talle, à ses côtés !

— Ah ! bien, va-t'en, dit la fille. Si on nous voyait ainsi, entends-tu le monde ?

Et le galant:

— C'est un pur adon. Je marchais, comme ça, à l'aventure... quand je t'ai vue.

— La belle défaite que tu te donnes, dit la cueilleuse.

Mais le Délié ne le prend pas sur ce ton. Il est là, tout rouge comme une flambée, et violent.

A l'entendre, il en avait plein le dos de tout ce qui se cancanait contre lui.

Il irait à la maison, bientôt, pour l'affaire du mariage...

Quant au Lucon, une ! deux ! avant longtemps, il lui réglerait son compte.

La pauvre fille, de son tablier, s'était voilé le visage et cachait ses larmes. Alors, le Délié, faisant son doux, se mit à entonner des versets d'amour et à parler de ses projets.

Bientôt, il serait le maître de tout cela...

Il désigna la montagne dont les murs bleus faisaient comme un rempart derrière les champs et les bois.

Les étrangers devaient louer bientôt tout ce domaine. Mais lui, il en aurait la garde.

Ah! Ah! il partit à rire et à montrer déjà ses crocs de gardien.

« Je leur vois la face aux gens de Mainsal! » dit-il.

Et rogue, le poil droit, il s'était tourné vers en bas, et vous lançait les injures à pleine gueule contre tout le clan des siens.

Ainsi, l'automne, lorsque chacun reviendrait, par son chemin, rouvrir sa cabane, lui, le Délié, serait là pour dire: « Va-t'en! »

Ainsi, lorsque chacun voudrait piéger aux endroits de chasse qu'ils se transmettaient de père en fils, lui serait là pour dire: « Dehors! Cela ne vous appartient plus! »

Alors, dans son cœur, la cueilleuse se souvint des paroles tristes qu'elle avait lues à son père un soir:

« Des étrangers sont venus! Ils ont pris presque tout le pouvoir; ils ont acquis presque tout l'argent. »

Elle n'osait parler, la pauvre. Mais, la main dans les fruits, elle roulait les grains bleus, pieusement, comme si elle eût récité des Avé pour sa protection.

Puis, des yeux, elle interrogea cet homme qui lui parlait une langue qu'elle n'avait jamais entendue dans la maison de son père ni ailleurs.

Lui, s'étant approché:

— J'aurai de bons gages, dit-il, et nous serons heureux...

Marie regarda les champs où les hommes s'affairaient autour des veillottes comme des abeilles autour des ruches, les cadres paisibles des avoines et des blés dans toute la force du vert, ceux des pacages avec leurs cairns de roches: simples monuments dressés en souvenir des mains qui s'étaient usées, des reins qui s'étaient rompus depuis des générations et des générations à nettoyer la face de cette terre.

Dans le pendant, à droite, elle regarda l'abatis de Joson, avec ses cailloux entassés par le grand frère et qui ressemblaient à des œufs dans la corbeille des ronces.

Plus loin, là-bas, c'était la haute muraille, c'était le grand fief de chasse que Marie ne connaissait pas, mais où, d'après les dires de son père, régnait ce qu'il y a de plus beau sous le soleil: la liberté.

— Alors, c'est bien vrai que les étrangers auront tout cela ? demanda-t-elle, en indiquant la montagne au Délié.

— Oui, ils en sont revenus l'autre jour en le disant. Mais moi, j'aurai la garde.

— Et ce sera fermé pour nous autres ?

— Oui...

Alors, elle eut honte de paraître avec lui trafiquer de l'héritage. Une voix, dans la profondeur de son sang, demandait à crier:

« Tu n'es qu'un traître. Va-t'en ! Je te méprise. » Mais elle eut peur.

— Maintenant, dit-elle, il faut que je m'en aille.

On voyait, çà et là, les faneuses descendre des champs vers les maisons, et les vaches revenir vers les enclos de traite.

Elle retira sa main qu'il avait prise, et se libérant de cette présence qui commençait à troubler le fond de sa chair:

— Bonsoir, dit-elle.

Et vivement elle disparut derrière une bouillée de plaines et dévala par les longues pentes.

Menaud, lui, avait battu le fer depuis que, dans les roseaux du Mitan, il avait levé le poing de la révolte.

Il s'était mis en marche avec le Lucon, tirant des étincelles de tous les cailloux du grand chemin, muni de colère et d'une bonne provision de mots propres à fouailler tout le clan des lâches et à les entraîner sur le sentier de guerre.

Le Lucon avait pris par les Frênes; il parcourait les plateaux, les buttes, les fonds, depuis la côte à Gobeil jusqu'à l'escarpe de Miscoutine.

Il partait au baisser du soleil, se racolait quelques jeunesses, et hourra ! par le grand chemin.

Il entrait dans toutes les maisons; et lorsque le temps était chaud et qu'on veillait dehors, entre pipe et prière, il faisait son discours, fouettant son auditoire d'un bras, et l'autre, tendu vers les montagnes qu'il défendait.

Alors, tout s'arrêtait et jusqu'aux cardes et rouets des femmes pour entendre le jeune homme; et, quand il était passé, on se groupait aux barrières, et tous les yeux se tournaient vers là-bas, vers les monts, comme vers une chose qui s'en irait on ne savait où... quelque part, loin de Mainsal.

Quelques vieux terriens disaient: « Bah ! », ne voyant, en cette histoire, rien au delà de leurs clôtures. Les autres sentaient bien que c'était une partie du patrimoine qui s'en irait encore aux étrangers; mais en face des moyens à prendre, ils finissaient par deviser du temps, le doigt sur la cendre de leurs pipes.

Et le Lucon s'en revenait à la nuit, sombre parmi les maisons noires, les chiens jappant à son passage comme au maraudeur.

Menaud, lui, s'était réservé tous les pendants du Grand-Lac, le pied des monts, Cachette-Aubin, le rang des caribous, toutes enclaves séparées les unes des autres, toutes chantournées en plein bois, par la charrue, selon la ligne des crans ou le bord des fondrières.

Là, règne le clan sévère des loups de bois.

Quand revient le soleil, ils s'astreindront bien, pour quelques jours, au travail de la charrue, de la faux ou du javelier; mais, arrive l'automne, ils redeviennent ce qu'ils sont depuis toujours: chasseurs infatigables, braconniers qui se coulent vers les anses des lacs à l'heure où l'on ne se reconnaît plus, tendent leurs rets dans les frayères, et, comme des araignées, se blottissent jusqu'au petit jour dans la guette des aulnes.

Tous ces batteurs d'eaux et de montagnes, Menaud les connaissait comme ses bottes. Il était dans le secret de leurs repaires, de leurs mauvais coups, de leurs équipées dans les neiges de décembre et sur les croûtes du printemps.

De sa cabane à lui, il les entendait, l'automne, quand ils venaient chasser l'orignal et meuglaient dans leurs burgaux d'écorce pour appeler les mâles en rut.

Avec eux, pas de cérémonies pour aborder le sujet.

Menaud, suivant l'adon, parlait dans l'abatis, le pied sur la souche, dans le champ, dans l'écurie ou la grange, à voix basse, comme pour un complot de chasse.

L'affaire des étrangers dans la montagne ne les énervait point.

C'était partout la même réponse, faite en montrant les crocs:

— Le bail... la loi... Bah ! on se fiche de tout cela comme des vieilles lunes ! Il n'y a que le bon Dieu...

Et Menaud revenait à la nuit tombante; et dans le chemin d'ombres touffues, il pensait tout haut, et maudissait le sol jaune de n'avoir poussé que des hommes de rien... « du bois d'esclave ! criait-il, du bois d'esclave ! »

N'empêche qu'à la fête de sainte Anne, il fut question des étrangers, de la montagne et même du Délié:

— Apparence, dit l'un, qu'on va perdre les Hauts. On a beau dire, c'est choquant; tout s'en va aux mains des étrangers.

Les autres répétèrent:

— T'as raison; c'est choquant; tout s'en va.

— Faudrait essayer tout de même...

Un politicailleur cria:

— Faudrait parler de cela au député...

— Y aura-t-il un peu de graisse, là-dedans ! lui lança un malin.

La farce dérida tout le monde et le peuple se dispersa.

De tout ce temps, Menaud n'était pas sorti de l'église. Après la vénération de la relique sainte, il avait regagné son banc.

Il avait tant de choses à demander, pour les âmes surtout, pour celle de sa femme qui avait tant prié, là, la tête dans ses mains, toute en Dieu, tandis que se déroulaient les cérémonies et les cantiques.

La défunte était pieuse; il fallait la pousser du coude, et lui chuchoter que c'était le temps de partir, lorsqu'à la porte de l'église, Joson criait à son cheval: wô! wô! Rié don!

Joson! Joson!

Menaud revit la pauvre tombe, là, parmi les cierges; et tout le chagrin où il s'était débattu comme une bête dans le piège lui revenait au cœur.

Joson! dont il aurait eu tant besoin dans la gatte de misères et de peines qu'il traversait là.

Maintenant, il était bien seul... avec, comme tout support, une fille qui voulait trahir le sang!

Il s'était engoncé dans l'encolure de son habit pour cacher les larmes qui lui venaient; et tout ce chagrin était mêlé de prières faites à la bonne Sainte des malheureux.

Il sortit, prit à droite vers le cimetière, s'agenouilla quelques instants sur la jetée fraîche; et s'étant relevé après avoir pris conseil des morts, il rencontra Marie.

— Je te cherchais, dit-il. Mais la fille comprit au rouge de ses yeux qu'il avait pleuré.

A ce point du retour d'où son regard pouvait plonger vers Mainsal, dès qu'il vit les champs, les bois, les lacs et, là-bas, le grand frontal bleu de la montagne, Menaud arrêta sa bête, et montrant ce qu'il avait sous les yeux:

« Pour défendre tout cela, je donnerais ma vie » dit-il à Marie.

Cette parole avait presque la solennité d'un serment. C'était la résolution qu'il avait prise entre ses prières lorsque sa tête s'était penchée sur son cœur; c'était la promesse qu'il avait faite à ses morts.

Il enfila la descente au grand trot, félicita la mère Gagnon de la belle venue de ses gourganes, puis: « Marche-donc, toi ! »

Le cheval excité rattrapa les dernières voitures, les plus lentes, celles qui ramenaient les infirmes et les malades.

Le cortège avait pris par les longs bords du lac.

Alors, on entendit une voix qui chantait, de ferveur, le vieux cantique de la fête:

Daignez, sainte Anne,
En un si beau jour,
De vos enfants, agréer l'amour.

Tandis que deux canards effarouchés tiraient vers le large, les bêtes qui flairaient l'eau s'étaient mises au pas.

Ainsi marchait la file dolente dans la douceur de ce jour d'été; et, recueillies, les âmes goûtaient les divins apaisements apportés de la fête; et, sur leurs enfants, se penchaient les femmes, consolées par la résignation sainte.

Menaud qui avait reconnu la voix du chantre, toucha des rênes et, rouant les aulnes et les cerisiers de bordure, dépassa le cortège, cria au Lucon de venir veiller avec sa musique, et clic! clic! disparut dans un tourbillon de poussière vers le moulin de la Régane.

Cette invitation pour le soir ! Après les deux souvenirs funèbres du matin !

Ainsi songeait Marie, tandis que, distraite, elle tressait les torons noirs de sa chevelure.

Et les pensées se heurtaient dans son cœur tumultueux.

« Passé les récoltes », avait-elle dit au Délié.

Elle regarda les avoines qui frémissaient dans le vent, tiges légères qui portaient son sort et que, pour la première fois de sa vie, elle aurait peur de voir mûrir.

Alors, elle se mit à regretter d'avoir confié cette échéance aux lois inflexibles de la terre.

Depuis le jour où, dans le jardin de bleuets, elle avait vu le Délié, hérissé comme un loup, montrer ses crocs contre les siens, il lui venait des désirs de retarder ce mariage, bien au delà des granges pleines, au delà des neiges, au delà...

En somme, ce Délié, c'était l'homme qu'on rencontre partout sans qu'on sache d'où il vient, celui qui passait pour se chauffer au bois de lune et rôder, dans les broussailles de l'ombre, autour du bien d'autrui.

En outre, un autre amour était né en elle depuis qu'en face de son pays, le Délié avait osé dire: « Les étrangers auront ce domaine; et moi, j'en aurai la garde... »

« J'aurai de bons gages, avait-il ajouté, et nous serons heureux... »

Mais quel serait ce bonheur acheté au prix d'une trahison ? Quel fardeau que la haine de tous les siens et le mépris de son père !

Alors, elle se mit à besogner grand train, allant partout où la menaient ses habitudes, du buffet à la table, de la table à son feu.

Et parfois un geste brusque trahissait les combats de son cœur; elle se redressait de tout son corps, comme si elle eût voulu se défendre contre une présence invisible qui l'assaillait.

Car cette image lui revenait toujours du grand gars aux yeux troublants; et c'était vers lui que tous les désirs de sa chair penchaient d'eux-mêmes quand la volonté ne les retenait pas.

Au milieu de toutes ces vicissitudes de son cœur, et comme si elle eût voulu s'en remettre au hasard pour une décision qu'elle n'osait prendre, elle tirait des moindres signes les pronostics de sa destinée.

Ainsi, allait-elle tour à tour pensive ou joyeuse; et sur son visage, passait tantôt l'ombre, tantôt la lumière comme sur les coteaux quand défile, dans les prairies de soleil, le cortège des nuages d'automne.

L'ombre foisonnait déjà dans les broussailles lorsqu'elle entendit son père saluer les veilleux:

« Salut Josime ! Salut Francis ! »

Les trois hommes restèrent dehors, car la soirée était chaude. Ils s'accroupirent au ras de l'herbe, là où coulent la première fraîcheur et les parfums que le serein ravive.

Les visages étaient graves; les mots, rares, commé il arrive dans les conversations paysannes autour d'un danger commun.

On eût dit à voir ces têtes penchées, qu'elles écoutaient des paroles venues de la terre elle-même.

Marie sortit pour voir la dernière charretée de foin qui passait dans la brunante.

Tout juste arrivait le Lucon.

Il avait bel air: foulard de soie au cou, violon sous le bras, faraud comme aux noces quand il allait frotter la chanterelle pour divertir la mariée.

Il dit bonsoir à la compagnie, entra; et, content de trouver un geste pour exprimer ce qu'il avait au cœur:

— Tiens, dit-il à Marie, c'est un souvenir de Joson. Lui avait trouvé le bois, moi, je l'ai taillé...

Et il lui présenta un gobelet où il avait sculpté, dans la chair d'une loupe, des fleurs, des fruits, puis, le symbole de sa soif à lui, sans doute: deux cœurs entrelacés.

Marie tourna longuement le présent dans ses mains, et se mit à rougir.

— Merci, dit-elle; j'y boirai souvent ! Mais, dis-moi sur quel arbre...

Et le jeune homme:

« Bien loin, dit-il, quand on a monté très haut dans l'escalier de la verte montagne, il y a une forêt de bouleaux tourmentés par le vent.

« Par une gorge d'enfer, entre deux parois à pic, s'engouffre le vent; et, sous les lanières cinglantes, les arbres tordus et d'écorce rouge ressemblent à des suppliciés.

« C'est le pays où l'air est frais comme une source et l'eau, pure comme l'air. Là, croissent les gadelles poilues et les viornes et sur les crans austères brillent les rubis de la canneberge. Jardins mystérieux ! retraites inviolées ! où, sur le silence des mousses, sans crainte, le caribou mène la vie limpide des cimes.

« C'est là qu'un jour, en passant dans la boulonnière torse, Joson trouva cette forme rare.

« Et moi, pour tes lèvres, je l'ai sculpté, ce gobelet, à la porte de ma tente, un jour d'automne qu'un mâle bramait d'ennui vers les échos de la montagne.

« Et vingt fois, je l'ai mis à tremper dans l'eau des framboisiers odorants; et vingt fois, avec une corne luisante je l'ai poli, pour toi, comme l'ivoire. »

Et, durant ces versets qu'il s'était composés, il y avait, dans le visage du Lucon, je ne sais quoi de grave; et ses yeux semblaient fixés sur des souvenirs. Mais les pensées d'amour frémissaient derrière ses paroles.

En un tournemain Marie fit disparaître le présent car les trois hommes entraient.

Leurs gestes étaient lents, pacifiés par le repos, le mystère et les étoiles de la nuit.

— Les soirées sont fraîches, dit Menaud.

Il invita ses hôtes à s'asseoir, puis, au violoneux:

— Le Lucon, dit-il, joue-moi les airs qu'aimait Joson.

Le jeune homme ajusta ses cordes, essaya de l'archet, parut se consulter lui-même quelques instants, puis, une! deux! les pieds agiles se mirent à danser sur les notes de la mélodie.

Coudes aux genoux, et tenant sa pipe des deux mains, Menaud avait les yeux ouverts, en dedans de lui-même, sur l'image bien-aimée qui revivait en lui.

Jamais le ménétrier n'avait joué comme ce soir-là, ni le violon, si bien parlé!

De temps en temps, le musicien levait les yeux sur la belle, et l'archet repartait à voler d'une corde à l'autre.

Et Marie écoutait cette musique; et, par la magie des sons, autour de son cœur aussi comme autour du gobelet d'amour, se nouaient des entre-lacs de fleurs et de fruits.

Sa fugue jouée, le Lucon releva sa chevelure, puis il chargea sa pipe.

— Merci, lui dit Menaud. Ça fait du bien ! Ça remonte.

Alors il se mit à lancer contre les siens tout ce qu'il avait amassé dans son vieux sac de colère:

« Tas de lâches ! disait-il, qui, dans le péril commun, n'ont pas de cœur au delà de leurs clôtures.

« Que tout s'en aille aux étrangers, la montagne, les champs, les bois... bah ! qu'est-ce que cela leur fait à ces avares crispés chacun sur ses écus ?

« Le passé ? Ils accablent leurs morts de belles paroles pour n'avoir pas à les entendre.

« Les héros ? Ils s'imaginent qu'ils ont fait comme eux quand ils les ont vantés.

« Le domaine ? Ils sont contents quand on leur accorde d'y vivre en esclaves... »

Puis il cita l'exemple du Délié et de ses pareils « vils trafiquants du patrimoine ! traîtres ! renégats ! »

Et tandis que revolaient les anathèmes au bout du poing fermé, Marie se rappela la scène des bleuets.

« De même, c'est bien vrai que les étrangers auront tout cela ? » avait-elle dit au Délié en montrant la montagne.

Et lui, faisant signe que oui, s'était mis à rire de sa grosse risée de maquignon tricheur.

Il y eut un silence dans la pièce.

Toutes les têtes s'étaient courbées sous la vérité dure.

Menaud reprit:

« Etre jaloux du sol tout entier, vibrer tous et chacun à pleins bords de pays, défendre le patrimoine de la première à la dernière motte, telle est la loi reçue, telle, la loi à transmettre !

« C'est ainsi que j'ai toujours compris le devoir du sang. »

Puis, se tournant vers sa fille:

« J'ai appris tes projets, dit-il; fais à ton gré.

« Mais quand j'ai perdu ta mère, vous me restiez, toi et Joson. J'avais pris mes alignements. Joson, lui, je m'étais dit qu'il suivrait mes traces.

« Je lui avais appris à aimer le sol tout entier, les champs, la montagne, les bois, oui, à tout aimer et dans toute l'étendue et jusque dans les profondeurs du pays. »

Des souffles frais entraient par la croisée ouverte, et les portières de catalognes ballaient dans le vent de nuit.

« Il y a quelque chose qui va mal dans le pays, reprit Menaud...

« Dans mon jeune temps, on vivait sans se tourmenter. A cette heure, on jongle dès qu'on est tout seul ou qu'on ne dort pas la nuit...

« Il y a des voix qui parlent partout... qui se lamentent comme des âmes en peine...

« Cette souffrance-là, j'avais habitué Joson à l'écouter. Et je me consolais en pensant qu'un jour, avec d'autres, il défendrait... »

Menaud fit un geste comme pour désigner une ligne, par delà les monts.

Il continua:

« Car, c'était une âme fière, une âme fière... Tu le sais, toi, le Lucon !

« Des fois, je me reproche de l'avoir entraîné là-bas... Mais j'avais mon dessein. Je voulais qu'il eût au fond du cœur la blessure du patrimoine rétréci et souillé !

« Je voulais que mon enfant eût la douleur de son pays.

« Mais le bon Dieu ne l'a pas voulu... »

Menaud fit une pause; et le silence parut long, démesurément.

Il reprit:

« Tu me restais, toi, Marie, ma fille.

« J'avais fait d'autres plans pour l'avenir de ma maison...

« Car, tu le comprendras un jour, transmettre son nom, son sang, ce n'est pas cela qui contente le cœur; mais, dans la chair qui vient de soi, sentir battre les mêmes amours, voir des pas devenir le prolongement de ses pas, voilà le désir qui fait vivre quand on regarde ses enfants. Né d'une race qui bataille ici depuis trois siècles, j'avais droit d'espérer que le pacte fait avec la terre de mes aïeux ne se briserait pas dans ma maison... »

Il hésita, puis debout:

« J'avais le droit de compter que la fille à Menaud ne trahirait pas en épousant un bâtard de déchu ! »

CHAPITRE VII

C'est la grande sécheresse.

Sous la chauffe implacable du soleil, dans les terres jaunes, les avoines ont pâli; et, sans cesse, le vent du sud souffle, souffle, et dessèche comme une haleine embrasée; et depuis des jours et des jours, c'est la même coulée de feu qui s'épanche de l'horizon.

Les buttes de Mainsal, fraîches hier et vertes, maintenant en poussière, fument au vent comme les dunes du désert.

Les ruisseaux à sec ne sont plus qu'un long alignement de vertèbres de pierres.

Tout est pâle, l'air est en feu, plein du grésillement des sauterelles en fête; et, sous les aulnes, les troupeaux beuglent, cou tendu et bave filante, vers des mirages de source froide et claire; et tout le pays dort, languide et consumé, sous la chape brûlante.

Inquiète, Marie regarde sécher le grain.

« Passé les récoltes, avait-elle dit au Délié, nous nous marierons. »

Sa besogne finie, quand vient l'heure du relâche, elle interroge la route, entre et sort; et quand Baron jappe à quelque passant, vite, elle écarte les rideaux.

Mais ce n'est jamais lui...

Depuis longtemps, il n'est pas revenu. Il sait bien que Menaud, sur le seuil de la promise, fait bonne garde.

Seules, les commères du voisinage viennent, entre deux repas, dire à Marie les allées et venues du prétendant.

Les jacasses vous ont alors un caquet ! et toute la gamme des médisances y passe, entrecoupée par les formules qui sont de rigueur dans les bavardages de la contrée.

A les croire, le Délié faisait de la piaffe au milieu des jeunesses.

Il avait annoncé chez Dubleu que, l'heure venue, ni Menaud, ni Dieu, ni diable ne l'empêcheraient d'épouser Marie.

Il irait, l'un de ces beaux soirs, pour la grand'-demande; et malheur à qui le prendrait à contre-poil !

Toutes ces rumeurs annonçaient une chose terrible qui s'approchait comme un orage de feu vers le pays sec.

Et voilà pourquoi, quand vient le soir, Marie a l'oreille nerveuse. Au moindre bruit que mène le chemin, elle s'imagine qu'entre les fûts de bouleaux, c'est le violent qui va paraître pour rappeler la date d'échéance.

Et, dans le fond de son cœur, elle n'est rassurée que par la présence de son père qui protège son seuil.

Entre elle et lui, il est des liens dont elle a maintenant pris conscience.

Depuis la scène où le vieillard s'est dressé pour revendiquer son droit, elle a commencé de sentir que le sang a son passé; qu'on a beau avoir, dans sa poitrine, son cœur à soi, et dans sa tête, son intelligence à soi, il y a quelque chose qui vient de plus loin que de sa propre chair.

Ainsi pense-t-elle profondément tout le long des veillées anxieuses, tandis qu'assise auprès de la lampe, elle crochète son beau tapis de laine.

Main dessus, main dessous, elle tire ses points; et le jute disparaît comme la terre brune sous le crochet d'or du printemps tisseur.

Ainsi passent les soirs d'attente.

Tandis que les mouches dansent dans le vent de sécheresse, les laines poussent; et gaiement, s'entremêlent les teintes que la belle apprêta dans l'écorce d'aulne, dans la fougère et le genévrier.

Et le tapis croît, gazon touffu; et, parfois, l'ouvrière caresse ce qu'elle reproduit avec amour: les champs, au loin, le bandeau sombre des bois, puis, le diadème de la montagne...

« L'escalier de la verte montagne » avait dit le Lucon, la montagne où, dans la chair des loupes, les chasseurs taillent des fruits et des cœurs entrelacés.

« Pour tes lèvres, je l'ai sculpté... »

Telles étaient bien ses paroles...

« Pour tes pas je le tisse » répond-elle tout bas en tirant ses laines.

Ainsi va le dialogue muet; et, parfois, il se prolonge jusqu'à la nuit aride, la nuit de mauvais augure, sans étoiles ni rosée.

Août s'en allait de même, en poussière, lorsqu'un soir, Marie vit le Délié virer carrément à droite du chemin et gagner le bord de la maison.

En deux enjambées il fut là, dans l'embrasure de la porte, droit et sec ainsi qu'un créancier de fer au seuil de l'échéance.

Vite, la pauvre avait couru vers sa chambre; et, de son regard affolé, elle implorait les images saintes qui tournaient autour d'elle.

Menaud, lui, avait repris son masque dur; et tous ses muscles s'étaient armés, comme au soir où prenant sa bougrine et le feutre sur les yeux, il était monté vers sa cabane des hauts.

Il invita néanmoins le Délié à s'asseoir.

Puis, le dardant d'un regard froid et rigide, il le laissa se débattre un peu dans le silence.

Menaud savait à quoi s'en tenir maintenant des dispositions de sa fille.

Le galant, lui, gigotait sur son siège, travaillant à s'arracher aux serres de ce regard.

A la fin:

— Est-ce qu'on peut voir Marie? demanda-t-il.

Elle sortit de sa retraite.

Mais elle n'était plus maintenant la cueilleuse effrayée qui avait dû, dans la bleuetière, ravaler le cri du sang.

Non! mais elle se tenait droite et forte, le visage glacé, à pic, devant l'homme dont les regards s'agriffaient à elle.

Il se tourna vers Menaud.

— On était convenu, Marie et moi, dit-il, de publier, passé les récoltes... Alors, j'ai profité d'un adon pour...

Le vieillard se leva, et le bras vers la porte:

— La fille à Menaud n'est pas pour toi, dit-il. Tu connais ton chemin. Va courir ta chance ailleurs...

Le jeune homme interrogea Marie du regard; et quand il eut compris qu'il était inutile de faire appel, pâle et tremblant de colère, il leva le poing vers Menaud:

— A demain! dit-il. Vous verrez s'il est bon de se mettre dans le chemin du Carcajou.

Puis il fit claquer la porte et déguerpit.

Marie s'était mise à pleurer. La nuit noire s'était peuplée tout à coup, pour elle, de haine et de menaces.

Menaud sortit pour éventer le bord que le gibier prendrait; mais il n'entendit que le vent sec qui fourrageait dans l'herbe raide, le même vent toujours, fiévreux et triste et plein de senteurs de feu.

Il rentra.

— Va te reposer, dit-il, avec tendresse, à sa fille; moi, je ne m'endors pas.

Puis il bourra sa pipe, prit un coup de thé, et s'installa, de garde, sur le palier du seuil.

C'était sa première bonne veillée depuis longtemps.

Sa maison lui demeurait fidèle, inébranlable sur les fondements qu'avaient posés les grands morts, « les plus humains d'entre les humains, ses pères... »

Parfois, au passage du vent par les croisées ouvertes et la porte béante, des bruits lui revenaient de l'intérieur: murmures, chuchotements, soupirs...

Alors sa pensée peuplait de formes étranges et remplissait de voix mystérieuses le silence de la vieille maison grise et tout le désert de la grande nuit.

Et le souvenir de la défunte qui s'était usée à la peine, le souvenir de Joson sombré là-bas avec toutes les promesses que donnaient sa fierté et son énergie, le souvenir de toute l'ascendance des ancêtres terriens ou voyageurs, tout cela revivait, faisait une sorte de palpitation au fond obscur de lui-même, un remuement mystérieux dans la racine de son être.

Mais parfois aussi passait une inquiétude vague héritée, elle aussi, des angoisses dont le sang s'était chargé au cours des siècles...

Et la parole du livre revenait comme une menace:

« Des étrangers sont venus; ils ont pris presque tout le pouvoir; ils ont acquis presque tout l'argent. »

Et parfois, dans l'ombre, il croyait revoir le Délié ténébreux, rôdant dans les sentiers de vengeance autour de sa maison.

Il s'était mis à rouler les grains de son chapelet, lorsque, levant la tête, il vit qu'au-dessus de lui, la nuit était couleur de brique.

Il bondit au bout de sa maison.

Une rougeur montait de Cachette-Aubin.

« Le feu ! » murmura-t-il.

Il piqua dans le chemin.

Il s'arrêtait aux maisons, criait le cri d'alarme, cherchait à rallier les hommes.

Bientôt, tout le rang de Mainsal fut debout, affolé, tandis que, dans l'aube rouge, fuyaient les corneilles pourpres.

Du pied des monts, de la concession des Caribous, arrivaient déjà, à plein chemin, les femmes, les vieillards, les enfants, pleurant tous, se recommandant à Dieu, au travers des effets entassés, pêle-mêle, dans les charrettes.

Les hommes, eux, Menaud en tête, s'étaient précipités vers le rang d'où descendaient les familles en déroute.

Le feu, disait-on, avait jailli soudain, vers les onze heures, en pleine brousse déserte; puis, il avait atteint les vieux bûchés, les abatis, les foins secs, et déployé un front de deux ou trois milles de largeur en arrière des maisons.

Bientôt, les hommes purent voir, à droite du chemin, l'immense pan de la muraille rouge au pied de laquelle les derniers fuyards, nez au sol, chassaient leurs troupeaux beuglants.

Au lever du soleil, le vent donna répit. Les plus braves, Lucon en tête, profitèrent de l'accalmie pour abattre les pointes de bois au-dessus desquelles bourdonnait l'essaim rouge des étincelles.

Jusqu'à midi ce fut un travail d'enfer. Les yeux bouffis, la gorge aride, les hommes se démenaient entre deux vagues de fumée.

Alors, contre l'étouffement, ils s'écrasaient, au ras de terre, puis, ho! ils repartaient à bûcher au milieu des flammèches.

Après avoir dévoré quelques maisons, et des cordes de bois par centaines, l'incendie faisait halte maintenant dans les contre-feux de bois vert qu'on venait d'abattre, tandis que toutes les femmes, les yeux au ciel, priaient devant les images pieuses suspendues ici et là comme des barrières de protection.

Vers le soir, le vent vira nordet et prit le bord des hauts. La pluie se mit à tomber.

Les maisons de Mainsal étaient sauves.

Cette nuit de malheur était belle, quand même.

De toutes parts, on était accouru pour voir la grande passion rouge, éblouissante, de la montagne.

Et les enfants battaient des mains devant les images fantastiques surgies du plein noir: abeilles ardentes, figures de flammes dansant avec les esprits du vent.

Maintenant que le fléau était écarté, béatement, les femmes regardaient cuire la montagne:

« Les beaux bleuets que nous aurons, disaient-elles. Ah ! les beaux bleuets ! »

Le reste de cette nuit-là, des hommes se postèrent le long du feu, pour empêcher qu'il ne fît écart.

Menaud, lui, s'était assis au pied d'une épinette, et personne ne l'eût distingué d'entre les racines.

Epuisé de fatigues, il allait s'endormir lorsque son chien se mit à aboyer devant une forme noire qui s'avançait.

— Nomme-toi ! dit Menaud.

— Le Délié, répondit l'homme.

Alors Menaud crut qu'il venait pour la revanche.

Il aplomba son corps sur ses vieilles jambes; et prêt à se défendre:

— Qu'est-ce que tu brettes par ici, lui demanda-t-il ?

— Je m'adonnais à passer... quand j'ai reconnu le jappement de Baron. Alors, comme j'avais un petit marché à faire avec vous...

L'homme hésitait prudemment sur ses paroles.

— Dis, toujours ! fit Menaud.

Le Délié recommença son prône sur l'amitié qu'il avait pour Marie...

Et tout cela était bredouillé, entortillé de vantardises et de racontars de femmes.

Menaud s'était rassis parmi les vieilles racines de l'arbre.

Et, dans le vent roux, l'autre parlait.

Lentement alors, il découvrit son jeu.

Il aborda le sujet de la montagne et des lacs que les étrangers loueraient bientôt.

Tout le domaine que ses ancêtres avaient conquis, tout alors passa devant les yeux de Menaud, même les lieux, là-bas, au loin, où il n'était jamais allé, où il n'irait sans doute jamais, mais dont il s'était fait en lui-même une idée vibrante, chaude, une image où l'immense pays avait ses sourires, ses voix, ses chants d'amour et ses appels de détresse, tout comme un être de chair et de sang.

Il revit surtout ses lieux à lui: ses montagnes, ses eaux et, sous la paix innombrable des feuilles silencieuses, sa cabane où l'attendait, comme une épouse... la liberté.

Contre le traître qui, de gaieté de cœur, osait ainsi parler, le chien était là, nerfs tendus et crocs sortis.

Menaud n'aurait eu qu'à le souquer.

Soudain, avec son effronterie d'âme vénale, le prétendant proposa le marché: Menaud consentirait à donner sa fille; en retour, il recevrait de lui, le Délié, la permission de caboter à sa guise dans ses vieilles chasses...

Menaud se leva tout grand debout:

— Va-t'en, cria-t-il, ou je lâche Baron contre toi.

L'homme s'enfuit dans une rafale de fumée.

Menaud, s'étant rassis, se mit à souffrir dans tous les liens qui le rattachaient à tous les lieux de la montagne, profonds et sacrés comme le sanctuaire même de son pays.

Tout cela serait profané !

Il avait sauvé sa maison, grâce à Dieu ! mais il se demandait maintenant quelles retailles d'héritage les traîtres laisseraient à ses descendants.

La passion qu'il endurait là !

Son cœur se débattait contre son impuissance et son isolement.

Parfois, du fond de ses entrailles montait un appel.

Alors, dans son imagination tumultueuse, passaient des foules et des foules, et lui, avec elles, il montait à la défense du pays.

Le Délié, lui, s'était mis en chasse, affamé de vengeance, la gueule aride, les poings fiévreux, dans le demi-jour de sang.

Il cherchait son homme, s'arrêtait, écoutait; puis, silencieux, coulant d'une maille d'ombre à l'autre, il se tapissait de nouveau, prêt à frapper.

Le Lucon, sans doute, avait suivi le feu jusqu'au bord de la grande rivière. Il devait être quelque part, tout près.

Déjà l'aube affluait.

La clarté commençait, marée lente et pâle, à inonder le sous-bois.

Ainsi l'heure passait du rival qu'il aurait voulu tenir là, sous le pilon de ses poings, lorsqu'il entendit... Cela venait à travers le bois: un froissis de feuilles, un craquement de branches, entrelacés de brins de chansons.

C'était le Lucon qui regagnait le groupe en bas, et le cœur et les lèvres lui bourdonnaient comme une guêpe dans la corolle d'une églantine.

Lorsqu'il le voit à portée, brusquement, le Délié:

— Ta chanson, dit-il, mes doigts vont te la serrer dans ta gorge.

L'autre s'écarte, puis:

— D'où viens-tu, toi ? Si tu veux que je te rince, tu n'as qu'à rester dans mon chemin...

— Cette face ! riposte le Délié ! On t'apprendra, bel étourneau, à voler le nid des autres...

Alors il recule, prend son élan:

— Engoule-moi cela, hurle-t-il...

Puis, de toute sa pesanteur, avec ses deux poings tendus, il fond sur l'ennemi...

Le Lucon esquive; et vif, en plein front, vous étampe l'agresseur:

— Voilà pour les traîtres, crie-t-il. Cours maintenant vendre la montagne à l'étranger !

Ah ! quel feu de rage le coup a fait jaillir !

De nouveau, le Délié prend son escousse, mais il rate encore son homme, et, blasphémant, roule, les griffes terreuses et le museau vaseux, au fond des buis traînards.

— Tu fouilles, tu fouilles, sale groin de cochon ! Viens que je te musèle.

Ainsi se démène le Lucon.

La tête enfoncée dans les épaules, haletant, pâle, et les couettes de sa chevelure vibrant comme un nid de couleuvres, il danse, il danse au milieu des aralies et des fougères.

Et c'est pour elle, pour elle, pour Marie, sa bien-aimée, qu'il mène le bal, les poings drus et les jarrets agiles, tout comme autrefois Alexis le Trotteur lorsque, pour la chape de ses fours, jambes nues et chantant, il pilait la glaise et les torchettes de paille.

Dieu ! les voici maintenant corps à corps, semblables à deux chevrons qui s'arc-boutent quand charge la tempête d'automne.

Alors tout gémit sous le toit; et les hirondelles sont muettes et soucieuses, au fond des nids, sous les ravalements.

Ainsi, tout s'effraye, à la ronde, autour du grand combat.

Silencieux, les deux rivaux se tiennent agriffés l'un à l'autre, gueules sifflantes; et, sous leur peau rougie, roulent des muscles pareils à ceux des pins entre les rochers de la Gamelle noire.

Depuis longtemps, ils étaient ainsi, et les chairs du Délié commençaient à trembler et la bave coulait sur sa poitrine velue et le Lucon se piétait pour lui tourner les reins, lorsque le lâche s'arrache à l'étreinte, saisit une pierre... et, frappé en plein front, hélas ! hélas ! Alexis tombe dans les genévriers amers.

Tra la la ! Tra la la !

Tandis que tout Mainsal est à la réjouissance, au guet du feu s'en viennent les filles.

Gaiement, gaiement, dans la prairie, marchent les filles sur les foins tondus.

Gaiement, dans le bois, marchent les filles, ici le long des sureaux rouges, là, parmi les amélanchiers noirs.

C'est l'aurore.

Là-bas, sur la montagne à Philémon, le feu s'apaise.

Et l'on entend les hommes crier hourra ! aux épinettes qui croulent dans la rivière comme des épilobes sous la faux des javeleurs.

Vers eux s'en viennent les filles, Marie en tête. Allègre, elle porte à son père un plein panier de vivres.

Mais, pour Alexis, elle a réservé quelques bonnes rasades de son vin de cerises qui met la langue en fête.

Tra la la ! Tra la la !

Ainsi troussées, s'en vont les filles, précieuses; et, comme en danse, le cortège fait des figures parmi les harts et les bouillées de plaines.

Et, partout, dans les regains de la prairie, crépite le chœur immense des grillons.

Mais, tandis que le Délié tire au large, voici qu'au bord du bois où passent les filles, parvient un gémissement.

Marie s'arrête.

Et le plaint revient encore.

Aussitôt le cœur lui fait mal. Elle s'élance, voit les ravages du combat, et une forme noire qui se débrage et gémit dans les genévriers amers.

— Bon Jésus ! dit-elle. C'est lui ! C'est lui ! Mon doux ! Mon doux !

Alors, dans ses mains tremblantes, elle presse la pauvre tête; et de son tablier elle essuie le sang et les chairs souillées.

— Vite ! aux hommes, dit-elle à ses sœurs !

Et tandis que la troupe enjambe les broussailles pour chercher le secours, dans le gobelet de loupe, elle verse un peu de son vin sombre; puis, comme la Malhurée, parfois, au fond de la nuit noire, appelle son chasseur perdu:

« Alexis! Alexis! » crie-t-elle, sur les yeux fermés. Mais le malheureux se lamente, et son esprit délire.

Ainsi passèrent des nuits et des jours durant lesquels le pauvre fut chétif.

Toutes les femmes du voisinage lui apportaient leurs remèdes. Mais quand la main de Marie passait dans la chevelure du blessé, alors brillait le regard d'Alexis.

Mais, un beau matin, il se leva; et, le premier soir qu'il revint à la maison, il demeura longtemps avec Menaud. Et, par la croisée ouverte au vent neuf où ruisselait l'appel du large frais et bleu, Marie put comprendre que les deux hommes parlaient de liberté.

CHAPITRE VIII

L'automne est venu.

Une nuit, les étoiles ont été froides et claires.
Aussitôt, le long des ruisseaux et des friches,
s'est ouverte la fête somptueuse par le spectacle
des fougères d'or et des frimas d'argent.

Par les sentiers pierreux, à la suite des chars
chargés de gerbes, descendent les soirs hâtifs.

Puis, brusquement, les paysages se ferment.

On dirait la règle austère d'un cloître silencieux.

Seul, au bord des marécages, le héron, gardien
des clairières, sa chape baignée de silence et de
brume, veille !

Menaud, tout le butin de son champ bien serré, passe maintenant une partie de ses jours dans sa cabane.

Il y monte dès que s'entrebâille la porte du matin.

Il en redescend quand l'œil n'a plus qu'un passage étroit entre les deux hautes murailles de l'ombre.

Mieux qu'à la maison, c'est là qu'il peut jongler à son aise.

Parfois, il grommelle dans le grand vent du Nord, tombeur de feuilles, assembleur de nues.

Ou bien il passe des heures à regarder les mêmes choses toujours, absorbé dans un échange, jouissant d'une intimité.

Il contemple la montagne qui est le diadème précieux de l'horizon, entre la plaine qui mue et le ciel qui roule, l'image de l'éternel, le bleu immobile qui sépare le double champ de l'éphémère.

Ce matin, il lui semble que tout le passé est là, dans ce cirque remué de pourpre et d'or.

Le décor a provoqué !

Un héraut invisible, dans tous les défilés de la montagne, a sonné du cor.

Alors, de tous les points, les preux sont accourus.

Ils répètent ce qu'a dit le livre, un soir du dernier printemps:

« Nous sommes venus, il y a trois cents ans et nous sommes restés.

« Nous avions apporté d'outre-mer nos prières et nos chansons; elles sont toujours les mêmes. Nous avions apporté dans nos poitrines le cœur des hommes de notre pays, vaillant et vif, aussi prompt à la pitié qu'au rire, le cœur le plus humain de tous les cœurs humains, il n'a pas changé.

« Nous avons marqué un plan du continent nouveau, de Gaspé à Montréal, de Saint-Jean d'Iberville à l'Ungava, en disant: ici, toutes les choses que nous avons apportées avec nous, notre culte, notre langue, nos vertus et jusqu'à nos faiblesses deviennent des choses sacrées, intangibles, et qui devront demeurer jusqu'à la fin. »

Ainsi passe la procession héroïque dans ce jour d'automne bariolé de sang, d'or et de fer.

De chaque motte de terre, de chaque sentier sourdent des voix; et, dans le vent d'énergie, Menaud croit entendre que ces voix appellent.

Aussi, son âme, ce matin, est-elle comme la cuve de forge quand le forgeron y plonge son fer rouge.

Les projets tumultueux y bouillonnent.

Il va, vient, autour de sa cabane, cherchant à libérer les désirs captifs qui le battent de leurs élans.

Il a repris son travail de la veille, ne trouvant d'autre réponse que celle-là.

Patiemment, suivant le rite hérité des ancêtres, il lace les nerfs de ses raquettes. Ainsi apaise-t-il sa tête peuplée d'idées en marche par des gestes d'artisan qui signifient volonté de conquête et passion de libre espace.

Il noue, il entrecroise.

Il célèbre, en fredonnant, ce lacis de nerfs et de force avec lequel ses pères ont battu les neiges qui, depuis trois cents ans sont tombées du ciel, ce signe de leur victoire sur le champ rigoureux des hivers infinis !

Ainsi donc allait ce jour d'automne.

Là-bas, Josime entrait ses dernières gerbes.

Menaud, lui, toujours penché sur son travail, songeait: Joson, l'an passé, sur le vieux gabarit, avait plié, poli ces fûts de souple frêne.

Mais, à jamais finies, maintenant, les libres courses qu'ils faisaient, eux deux, Joson devant, lui derrière; finie, la piste de raquettes fleurie, historiée, pareille à des guirlandes de lumière jetées sur la neige des monts.

Sa cabane, là-bas, au pied de la Basilique !

C'est là qu'à cette époque, avant la chasse, il faisait sa purge de silence et de recueillement, et jonglait avec ses pensées profondes.

Dorénavant, elle lui serait interdite cette cabane, interdite, la montagne, de par la loi, la loi du pays de Québec qui permet à l'étranger de dire au fils du sol: « Va-t'en ! »

Il interrompit tout à coup ses gestes de laceur.

L'évocation de tant de choses l'avait mis hors de lui-même.

Face à la montagne devant laquelle, jusqu'à la grande rivière, là-bas, claquaient les étendards de l'automne, il se mit à jurer qu'on ne lui fermerait pas ce domaine, que, dût-il y laisser ses os, il irait en chasser les intrus.

Les siens avaient plié le cou.

Leurs protestations n'étaient pas allées au delà de leurs clôtures.

Mais lui, Menaud, il avait assez souffert sous le joug, assez entendu de reproches de son sang, que, jamais, non jamais! il ne consentirait à se laisser dépouiller de l'héritage.

Le Lucon l'aiderait à cette tâche.

Alors, il se mit à jouir de sa décision. Et son esprit partit en course dans tous les sentiers de la forêt, multiple comme une meute sur des pistes de haut gibier.

Ce soir-là, Marie ne comprit rien aux allures de son père.

Il allait, venait, tortillait les pointes de ses moustaches, allumait, éteignait et rallumait aussitôt sa pipe et fredonnait entre-temps comme une jeunesse.

Josime vint faire son bout de veillée.

Il reprit son sujet de la veille: la récolte, les labours d'automne.

Menaud, pour la politesse, répondait oui, non, à ce qui lui barrait ainsi l'idée, à ces versets aussi lents que des chars chargés de gerbes.

Mais dès que Josime eut passé la porte, ce fut dans la tête à Menaud comme un torrent d'avril.

Il ouvrit son vieux coffre, se mit à fouiller, sa main faisant sonner toutes les ferrailles comme des chaînes que l'on secoue.

Il demanda à Marie ses paquets de fil de laiton, sa drogue à renards, s'entoura de tout ce drégail, tel un enfant de ses jouets.

Puis, il sortit.

Lune devant, défilait le grand arroi d'étoiles.

Dans les coupes, au loin, on entrevoyait de ces chemins clairs qui semblent des passes mystérieuses vers des pays sans fin.

Menaud regarda longtemps sa montagne, et son cœur se languissait en lui-même.

Ainsi passaient les jours.

A plein ciel, roule maintenant la sombre marée des nuées d'octobre.

Sous les pluies froides, les chemins ne sèchent plus.

Dans les pacages roux, les bêtes inquiètes flairent aux quatre coins du vent, ou meuglent vers les étables chaudes et l'odeur des tasseries.

Menaud et le Lucon, eux, les portes de la remise bien fermées, se sont mis à trimer parmi leurs agrès de chasse, cognant, rapiéçant, devisant entre deux pipes, tandis que Baron, les yeux sur le traîneau d'hiver, jappe vers la vision d'une enfilade sans fin de portages et de lacs enneigés.

Quant à Marie, elle vaque, comme d'habitude, du buffet à son poêle, de la dépense à la table, mais elle est triste et distraite.

Par moments, elle écarte les rideaux pour voir ce que brettent les hommes, ou bien, dans l'entrebâillement de sa porte, elle tend l'oreille aux éclats de voix.

Car son cœur est inquiet.

Elle a tout deviné du complot.

Le bail qui fermerait la montagne à tous les usagers de Mainsal devait être lu prochainement, à l'issue de la grand'messe, l'un de ces prochains dimanches.

C'est ce qu'on disait.

Mais son père avait juré sur ses morts que cela ne marcherait pas ainsi.

Tandis que le Délié faisait ses lois, Menaud avait soutenu qu'il avait pour lui des droits qui venaient de son père et, de bien loin, dans le passé. Ces droits-là, ni les lois, ni les papiers ne pourraient jamais les détruire.

Puis, après avoir traité le lâche de vendu, de couillon, il l'avait invité à venir, dans les hauts, se mettre dans son chemin.

Le Lucon avait pris fait et cause pour Menaud, et même disait-on, avait promis au Délié que, s'il se pointait le museau dans la montagne, il aurait des comptes à régler.

L'incident avait fait son tour de paroisse; et Dieu sait si les commères avaient jaboté.

Elles étaient venues chez Marie colporter les propos du Délié, ses menaces...

Jusqu'à Joseph la Gueule, de Miscoutine, qui avait pris la peine, ces jours derniers, d'arrêter à la maison.

Lunettes au front, les yeux exorbitants, il avait fait défiler tout l'appareil des mots d'avocasserie, expliquant avec son gros doigt dans le creux de sa main comment vont les lois, les procédures, la prison...

Depuis, Marie ne vivait plus que de craintes et d'inquiétudes.

Elle aurait voulu, par mille prévenances, garder son père à la maison. Elle avait changé les rideaux, peinturé table et buffet, fait encadrer deux belles images qu'elle avait placées là, devant la chaise du vieux coureur de bois que la montagne avait ensorcelé.

Mais lui n'entrait que pour les repas, accrochait son feutre et se piquait dans son assiette.

Le soir, il rôdait d'une pièce à l'autre, comme une âme en peine, et, quand il parlait, c'étaient des éruptions de violence, des mots de feu pour flétrir le clan des lâches. Puis, ses lourdes paupières rabattues sur les yeux, le vieillard rentrait en lui-même.

Des fois, il se levait la nuit, passait des heures à jargonner, comme s'il eût fait un complot avec les morts... les Anciens... Joson dont le nom revenait souvent...

Marie, de sa chambre, pouvait entrevoir le grand homme noir passer et repasser dans le velours sombre des fenêtres, ou bien, face au poêle, s'abîmer en lui-même, en tête-à-tête avec le grondement du feu.

Le Lucon venait de temps en temps. Sur le départ prochain, il faisait la carpe. Mais elle avait lu dans les yeux du jeune homme tout le secret de ses manigances avec son père.

Un soir, des voisins étaient venus dissuader Menaud de partir.

Ils avaient représenté qu'on ne s'obstine pas contre les lois.

L'un d'eux avait eu la visite d'un oncle du Saguenay. Les gens de Cyriac s'étaient débattus longtemps là-bas contre les ingénieurs, les compagnies. A la fin, l'eau du barrage s'était mise à monter, monter; et comme tout calait: les prairies, les maisons, il avait bien fallu céder à cette marée criminelle sous peine d'être noyé comme des rats quand surviennent les coups d'eau.

A ce récit, le Lucon s'était levé en renversant sa chaise.

Jamais il n'était apparu aussi beau que ce soir-là. Jamais Marie ne l'avait tant aimé dans la profondeur de son sang.

Il avait parlé comme son père à elle.

Pâle, avec un grand souffle comme ceux qui se halent dans le vent mauvais, il avait défendu bien des choses qu'elle ne connaissait pas; mais une voix secrète, à l'intérieur d'elle-même, répondait: « Oui ! Oui ! »

Tout y avait passé dans le pays, et depuis le commencement; et cette parole rude et forte avait fouaillé deux heures de temps dans la fumée des pipes, comme le noroît quand il fouette les nuages et découvre la vraie face de la terre.

Dieu ! qu'elle l'avait aimé, son Lucon, ce soir-là !

Plus encore qu'à l'heure du gobelet aux guirlandes de viorne, aux cœurs entrelacés...

Comme elle avait été fière de sa fierté ! Quel autre langage que celui du Délié !

« Alors, les étrangers auront tout cela ? », lui avait-elle demandé, en haut, dans la bleuetière...

Et le traître avait osé dire oui, en face du grand domaine des aïeux !

Mais voilà, maintenant, que tout cet amour se changeait en peine.

Cette générosité de cœur qui l'attirait de plus en plus emporterait demain, loin d'elle, ce Lucon libre et fier.

Il partirait avec Menaud dès la première bordée.

Le Délié partirait aussi... Que se passerait-il, dans la montagne, entre ces violents ?

Alors, quelque part, dans le grand blanc sauvage sans mesure ni pitié, où le cœur devient farouche et cruel, elle prévoyait la rencontre... les haines exaspérées... les injures... et, peut-être tout cela finirait-il par quelque malheureux gémissant et blessé comme celui qu'elle avait trouvé, après le feu, étendu dans les genévriers amers.

Et les prophéties de Joseph la Gueule planaient dans sa pensée. Elle revoyait les signes fatals qu'il avait tracés dans sa main. Elle entendait le sifflement des mots au vol noir qui tournoyent avant le malheur dans le cerveau des hommes.

Ce soir-là, à la brunante, elle dut héler son père pour le souper.

Entre deux cuillerées de soupe, Menaud annonça que, le lendemain, il irait à la Malbaie, et coucherait en route chez un vieil ami, le père Isaïe Gaudreault.

Il se hacha une bonne menotte de tabac, bourra sa vessie de cochon, et se mit, au feu de la lampe, à établir les crédits qu'il voulait réclamer: un porc vendu à Desbiens de la Comporté, cinq cordes de bouleau livrées à divers clients de l'Accul.

Il présenta le papier à Marie pour qu'elle repassât les additions.

Cela fait, elle enveloppa une pile de couvertures qu'elle avait tissées pour les Ferron.

Elle ouvrit la porte pour voir le temps. Une rafale y poussa comme une mousseline.

« V'là la neige ! » dit-elle, en fermant.

Elle sortit alors le capot d'étoffe grise, la ceinture, les mitaines carreautées de rouge et de noir, la crémone...

« Il va faire vilain », dit-elle.

Ensuite, elle regagna sa chambre, saisie par cette bourrasque froide qui l'avait frappée au visage comme la première annonce des peines qui l'attendaient.

Le lendemain, son père se leva au petit jour.

La lumière était grise. A peine pouvait-on distinguer les entourages.

Il neigeait.

Menaud sortit le berlot de la remise, attela; puis, s'étant bien emmitouflé, dit bonjour à sa fille, et: « Marche donc, toé ! », son cheval décolla sous le claquement des cordeaux.

Durant quelques minutes, le gland d'une tuque sautilla comme un grelot rouge dans le blanc; puis, à travers le tissu de la bordée, la voiture disparut.

Tout le long du jour, s'il en neigea des idées dans la tête de Marie !

Cela venait par essaims, de gauche, de droite, tournait, imitant le vol des flocons.

Dehors, la campagne était silencieuse et comme résignée.

De temps en temps, des enfants passaient, ramenant du pacage les taurailles au poil grichu.

La pauvre fille, elle, épiait la route.

Dès qu'une forme entrait dans le chemin, elle cherchait à la connaître, à travers la trame de la bordée dense.

Mais ce n'était jamais lui...

Et le soir tombait vite.

Le vent entrait en chasse. Déjà, la neige poudrait sur les tas de roches; et, de toutes les branches, au bord du bois, s'envolaient comme de grands oiseaux effarouchés.

Depuis longtemps Marie regardait la tempête, dans ce rang perdu où la bourrasque s'amusait à tourmenter quelques pauvres maisons, lorsque soudain le cœur lui toque.

Le Lucon s'en venait. C'était bien lui cette fois.

Alors elle n'écoute que son désir; elle sort:

« Je t'attendrai ce soir », lui crie-t-elle.

Puis, elle referme sa porte.

Et maintenant, hurle tempête! Il faisait bon dans la maison grise.

Tout chantait: le feu, l'eau, la friture.

Elle se mit à faire un beau ménage, à ranger, nettoyer. Elle sortit du coffre sa plus belle laize de catalogne et le tapis crocheté.

Il lui revenait en tête des chansons oubliées depuis longtemps. Il lui passait des idées folles qui lui tricolaient dans tous les chemins du cerveau comme des jeunesses qui reviennent des noces, en ripompette.

Elle mit ses souliers fins, son beau tablier du dimanche tout brodé.

Puis, de temps en temps, la coquette, devant le miroir, elle faisait la merlette qui s'épivarde...

Tous ces apprêts finis, il fallut bien en rabattre un peu de cette joie de fille émoustillée.

A tout instant, la belle heurtait du regard contre les souvenirs de sa mère pieusement disposés çà et là.

Alors elle s'assit, toute figée, tandis que la bourrasque secouait la vieille maison, et que la poudrerie grêlait les vitres...

Ça me reproche ! pensa-t-elle... ça me reproche !

Quelqu'un frappa.

C'était lui !

— Je n'entre que pour allumer, dit-il: ton père n'y est pas.

— Je t'ai fait venir, commença-t-elle...

Elle bredouillait, ne trouvant plus rien à dire... alors que tout, même le Lucon, semblait se lever contre elle, dans la maison austère et pieuse où des voix, comme des voix d'Eglise, conseillaient la patience, le pardon.

Le grand vent, lui, frappait, hurlait; et la nuit était démontée.

Alors elle se mit à parler de son père... déjà vieux... qui s'en irait là-bas... dans la montagne... affronter un homme capable de tout...

Elle avait bien assez donné à ce qu'ils appe-
laient, eux autres, l'héritage. Joson, mort comme
un pauvre chien... dans l'eau glacée... sans les
sacrements... c'était bien assez dur.

Et voilà que son père...

Elle se mit à pleurer tout haut, entre ses bras
croisés, sur le dossier de sa chaise.

Le Lucon n'osait point la regarder.

Les coudes sur les genoux, tête basse, il s'était
affalé dans l'encoignure.

Tout défilait devant lui maintenant: le bois
sans fin... les grands plateaux secrets, sur les
hauts... les lacs solitaires encavés comme des pensées tranquilles au milieu de la passsion des montagnes.

Tout cela semblait vivre, palpiter comme son
cœur à lui. Tout, même les misères, même la neige, tout suppliait:

« Tu ne nous abandonneras pas ! »

Tout s'agrippait à lui et murmurait:

« Depuis trois siècles... que nous avons confiance en ton sang ! »

— Il y a de la bonne terre; ce serait plaisant de
vivre icitte... tranquille... murmura la pauvre, entre
deux sanglots.

Dehors la tempête faisait un ravaud de plus en plus terrible.

Elle alluma le cierge bénit.

Malgré lui, le Lucon levait la tête vers les murs à chaque coup de vent.

Un souvenir lui revint: l'année d'avant, c'était par un temps pareil que François s'était écarté dans le brûlé du Foulon. On l'avait trouvé, le surlendemain, gelé... raide mort... au pied d'un chicot!...

Et c'était cela que, lui, il défendait en ce moment: le bois qui tue les hommes, l'eau qui étrangle les draveurs.

Tandis qu'ici, — Marie avait raison, — sur le vieux bien... on mènerait comme Josime... comme bien d'autres... une vie calme.

Le climat était rude; la terre, dure à cultiver à cause des cailloux; mais quand on s'en donnait la peine, on récoltait du bien en masse... de quoi vivre à l'aise.

Alors, dans le tapis, là, sous ses yeux, il vit que la tisserande avait crocheté son rêve, le rêve qu'elle venait d'exprimer:

« Ce serait plaisant de vivre icitte... tranquille ! »

Et la parole de Marie tournait autour de son cœur comme une incantation d'amour.

Il se leva.

— Tu m'as mis tout à l'envers, dit-il, simplement... Je ne peux te répondre comme cela, tout de suite. Abandonne de pleurer toujours ! Il y a une chose sûre, c'est que...

Il se pencha sur elle; et le grand mot qu'il n'osait dire, il le lui imprima sur le front, avec tendresse et pitié.

Dehors le vent commençait à tomber.

Tout le ciel était pareil à une belle glace vive où brillaient des cristaux d'étoiles claires.

Le Lucon s'en retournait, battant d'arrache-pied les neiges dont les chemins étaient déjà remplis.

Mais les paroles de Marie sonnaient encore, sonnaient autour de lui comme les grelots d'une carriole de noces:

« Ce serait plaisant de vivre icitte... tranquille ! »

Avant de prendre la dépente de la côte, il s'arrêta pour regarder la lumière de la maison promise; mais une bourrasque venue de la montagne lui jeta au visage un air froid, comme un reproche.

En avant, la route était déserte. Tout le rang était noir.

« Vivre icitte tranquille »...

Il aurait voulu retourner pour dire à Marie les choses qui lui montaient à la gorge maintenant.

Il n'avait pas osé parler, à cause de l'amitié qu'il avait pour elle.

« Vivre icitte tranquille »...

Mais... mais... il y en avait d'autres, des paroles, qui lui revenaient, à présent; c'étaient les paroles de Menaud, le soir de la veillée de drave: « Nous sommes des lâches ! des lâches ! »

Ce que Marie lui avait proposé, c'était la petite vie, étroite, resserrée, pareille à la vie des ours en hiver. Ils dorment, se lèchent la patte dans leurs trous.

Comme si l'on pouvait ainsi passer son règne, replié sur soi-même, et se laisser dépouiller sans se défendre.

Non ! tel n'était pas le dessein de ses pères.

Dès la première heure, alors qu'ils n'étaient qu'une poignée, ils avaient marché, canoté, des mois et des mois, pour fixer des frontières.

Ils avaient légué un devoir à chacun de leurs fils: celui de conserver jalousement toute la terre qu'ils avaient héroïquement mesurée.

Ne défendre que son petit bien propre en deçà de ses clôtures, fermer l'œil sur tous les empiéte-ments de l'étranger, c'était trahir, se condamner à n'être bientôt qu'un peuple d'esclaves.

Etre libre, cela ne se bornait pas à dire: « Je fais à ma tête chez moi. Je suis roi et maître de quelques arpents de terre sous le soleil du bon Dieu. »

Non ! Etre libre, c'était, partout où l'on va dans le pays, sentir, sous ses pieds, le son de la terre répondre aux battements de son cœur, c'était entendre partout la voix du sol, des bois, des eaux dire:

« J'appartiens à ta race et je t'attends ! »

Etre libre, c'était goûter dans l'air ce qu'on goûte en mangeant le pain de son blé.

Etre libre, c'était, en quelque endroit qu'on allât où les pères étaient allés, sur tous les visages reconnaître quelque chose du visage des siens, dans les mœurs, quelques traits de ses mœurs; c'était voir toute porte s'ouvrir, c'était entendre dans sa langue:

« Entrez ! vous êtes chez vous ! »

« Délivre la liberté captive en ton sang ! » lui avaient dit les Anciens, la nuit de la débâcle dans la Noire.

Il comprenait maintenant tout le sens de ces paroles.

Vouloir d'abord se libérer, voilà quel était le commencement de la liberté !

« Je veux ! Je veux ! » dit Alexis.

Ainsi, dans la solitude du rang de Mainsal, marchait le jeune homme, grisé par ces mots-là, fier de lui-même, tandis que, par instants, la bourrasque levait au-dessus de lui comme de grands drapeaux sonores, piqués d'étoiles.

Le surlendemain, il donna un baiser à Marie qui pleurait.

Puis, avec Menaud, il prit le bord de la montagne pour défendre, contre le traître, les droits de la liberté.

CHAPITRE IX

Maintenant, partout, là-haut dans la montagne, du fond des coupes muettes, du bord des lacs tranquilles, monte, monte et se déplie, et, telle qu'un voile de fées, se suspend aux ramilles, la petite fumée bleuâtre des cabanes de chasse.

L'hiver est venu.

Durant des jours et des nuits, la montagne s'est comme enroulée dans les plis de la grande bordée.

Et depuis, brillante et neuve, elle fleurit le ciel de l'horizon.

Alors, toute la harde des chasseurs s'est levée; et, dès le petit jour, dans les sentiers de l'immense forêt, ohé! ils pistent et battent la neige glorieuse, tous, les tendeurs qui levraudent dans la sapinière, les piégeurs de fourrure, les tueurs de grande race qui relancent le caribou sur le pelé des monts et se barbouillent de sang dans l'hécatombe chaude.

Alors, sur les pages neuves de l'hiver, tous, ils écrivent comme dans le beau livre:

« Nous sommes venus il y a trois cents ans et nous sommes restés...

« Nous avons marqué un plan du continent nouveau, de Gaspé à Montréal, de Saint-Jean-d'Iberville à l'Ungava en disant: ici, toutes les choses que nous avons apportées avec nous, notre culte, notre langue, nos vertus et jusqu'à nos faiblesses deviennent des choses sacrées, intangibles et qui devront demeurer jusqu'à la fin. »

Menaud et le Lucon, eux, n'avaient point berlandé, marchant à longueur de jour, étirant la lumière jusqu'à la brunante, ne s'arrêtant que lorsque leurs pieds s'empêtraient dans les rets de l'ombre.

Puis, ils décollaient quand il faisait brun encore; et ho! eux devant, chiens derrière, ils enfilaient les passes sous les chapes sourdes des sapins affaissées; ils traversaient les lacs où le vent, sur la glace bleue, pourchasse la neige en délire.

De temps en temps, le long des ruisseaux, Menaud s'arrêtait à ses pièges, regardait si quelque piste ne sortait pas du trou noir où l'eau gargote.

Alors, c'était invariablement partout la même réflexion:

« Les bois sont pauvres c't'année; c'est terrible ! »

Il rallumait sa pipe; puis, dans le silence claustral des pendants de montagnes, à travers tout ce peuple de sapins muets et prostrés sous la neige, les raquettes recommençaient à battre; et cela faisait une sorte de pulsation de vie qui réjouissait le cœur de la terre profonde.

Les deux hommes parlaient peu, s'avançant, obliques et durs comme des proues, dans le noble ruissellement de l'air vierge... Menaud, lui, toujours en tête, fauchant large des deux bras, comme une jeunesse, les yeux vifs, émerveillés de mille choses qu'il ne se rappelait pas avoir jamais vues et qui lui apparaissaient comme miraculeusement belles maintenant qu'il était venu les défendre.

La brunante tombait lorsqu'au troisième jour l'équipage atteignit l'entrée du lac à Basile.

L'heure était bleue; au-dessus des cimes, brillait encore le dôme du haut mont.

Menaud s'arrêta.

Les deux hommes se dépêtrèrent de leurs raquettes; et, sur les bancs de neige dure qui sonnaient comme des violons, à pas drus et dansés, ils pointèrent vers leur cabane, tandis qu'autour les chiens jappaient dans la griserie du grand air sec et vif.

Depuis des jours et des jours, maintenant, que Menaud jonglait comme s'il eût été seul.

Le Lucon, lui, partait en courses dès le petit matin.

Il fouillait le pied des montagnes où le bois est fort, les buttes aux mille clochetons d'épinettes, les clairières où le noroît, rude bûcheron du Nord, fait ses chantiers de tempête, les pelés dont les caribous revêches au vent glacial piochent les lichens et les mousses, les coupes calmes, les platins.

Il longeait les criques, explorait les trous chauds, piégeait le vison, le renard, le pichou, guettait les loutres à la sortie des anses où elles chassent dans le maquis des herbages.

A l'heure du thé, le midi, il abattait un chicot sec, faisait son feu.

Puis, tournait autour l'ensemble des gestes rituels que les chasseurs accomplissent, de la même façon depuis des siècles, lentement, harmonieusement, dans le parfum des résines brûlées: les mains que l'on étend sur la chaudière; dès les premiers bouillons de l'eau, les feuilles précieuses qu'on jette à la pincée; et, pour finir, la motte de neige qu'on laisse choir pour apaiser l'âme du breuvage et faire caler les feuilles.

Assis à contre-feu, gravement, il prenait ensuite, à petites gorgées, son thé, comparable, dans le grand bois rigide, au rayon de soleil qui coule, en avril, le long des sèves engourdies.

Il allumait enfin sa pipe avec un brandon de son feu, et terminait toute cette alchimie par quelques instants donnés au songe, le même d'ordinaire, partout et toujours, depuis les Anciens, fait d'une pensée simple, ténue, semblable à cette dernière fumée qu'on voit s'élever d'une braise amortie et filer tout droit à travers les branches, jusqu'au fond de l'air tranquille.

Mais, ce jour-là, bien d'autres soucis l'obsédaient. Il faisait sa ronde avec une sensation de pieds lourds, de neige mal marchante, le cœur inquiet, la tête vide.

Non pas qu'il eût peur du Délié.

De lui, nulle trace encore.

Le lâche n'oserait pas, comme il s'en était vanté, venir les relancer dans leur domaine.

Non: mais la pensée de Menaud le poursuivait...

L'homme dont il avait eu peine à suivre, quelques jours auparavant, la montée joyeuse et précipitée ne parlait maintenant presque plus, cabané à cœur de jour, avec une peine qui semblait le ronger au-dedans, comme le ver qui gruge la chair obscure du bois.

La lune montait dans les aulnes lorsque le Lucon rentra de ce jour tourmenté.

Menaud lui demanda, à l'abord, s'il avait croisé des pistes.

Le Lucon ayant répondu qu'il n'y avait trace de personne, Menaud se replongea dans son coin.

Depuis des jours et des jours maintenant qu'il rengainait cette violence aiguisée de longue main contre le lâche et ses pareils !

Et personne ! jamais personne !

Il s'était fait une fête de partir. Il était monté
à grand'hâte, tendu comme une outarde qui rega-
gne le Nord avec du vent neuf plein ses ailes.
Mais au lieu d'une sorte de place de guerre libre
et joyeuse où il aurait voulu défendre sa montagne, hélas ! il n'avait trouvé qu'une cambuse funèbre où, dès la porte, tous les souvenirs de Joson
lui avaient sauté à la gorge.

Il avait bien essayé de réagir; mais inutile.
L'obsession persistait, renouvelée à chacun de ses
gestes par une ombre mystérieuse, qui, partout,
tout autour, semblait retracer les gestes de son
enfant.

Encore, s'il avait pu, là, en plein air, accomplir le dessein dans lequel il était venu: rencontrer le traître, établir, une fois pour toutes, qu'il
y a dans ce pays des droits que toutes les lois
du monde ne peuvent abolir, venger, oui ! venger
la terre, les sentiers libres, le passé, les grands
morts...

Mais non ! Personne ne se montrait !

Il avait espéré que le Délié viendrait.

Il s'était représenté cent fois la scène: la sommation d'abord, ensuite, sa réponse droite et fière.

Puis, la pourchasse de l'intrus jusqu'au bas de la montagne, quelque chose comme une débâcle de toutes les colères que le pays avait sur le cœur depuis les années de servitude.

Triomphant, il aurait ensuite regagné ses chasses, les sanctuaires profonds de son domaine, les aires étincelantes de ses lacs; il aurait bu le coup de la liberté à même l'air frais et vierge des monts.

Le soir, il se serait enfin reposé en tête à tête avec ses morts consolés.

La nuit était venue. Le Lucon alluma la chandelle, sortit son violon, fit sauter quelques notes, et se mit à jouer ensuite une sorte de mélopée si triste que Menaud se leva; et, comme pour s'évader de ce trou de souffrance, il sortit. Il regarda longtemps la nuit pâle partout jonchée de clairs de lune et de faïences bleues, et le lac qui ressemblait à une immense nappe de toile fine couverte de cristaux et d'étincellements.

Il referma brusquement la porte.

Cette fête-là n'était plus pour lui.

Il n'était qu'un intrus maintenant, un rôdeur sombre, furtif, le dépossédé, revenu, malgré les lois, s'emplir une dernière fois les yeux au bord de la fête interdite.

Le Lucon jouait en homme qui n'est plus maître de sa musique.

Il ressemblait à ces chicots de misère que le vent tourmente et fait pleurer.

Il était comme ivre, sans pensée distincte, en proie à une vague souffrance; car son âme avait dépassé la mesure de tous les jours, et courait au-dessus des montagnes, des plaines, des eaux de l'immense pays.

Menaud s'était plongé dans l'ombre et jonglait.

Il revoyait, tout comme au milieu d'une place immense, dans l'éblouissement de midi, tout le trésor, toutes les parures de la grande terre, tout l'héritage opulent que ses pères avaient laissé.

Le violon s'arrêta soudain.

Le Lucon s'était appuyé au poteau de son lit. Ses cheveux, comme un flot de pensées tumultueuses, s'étaient répandus sur son visage.

Il reprit sa musique; et se sentant incapable d'exprimer par les mots l'angoisse qu'il éprouvait, il se mit à jouer, à chanter presque tout bas d'abord, puis avec une intensité croissante, une sorte d'incantation sauvage apprise d'un voyageur de l'Extrême-Nord.

Ah! yah! ah! yah! o-vo-ga! o-vo-ga!

Il ne connaissait pas le sens de ces mots barbares, mais pour lui cela voulait dire: « Je souffre de l'immense pitié de mon pays! »

Ah! yah! Ah! yah!

La nuit s'achevait lorsque le froid réveilla Menaud. Il regarda l'heure, et s'étonna d'avoir dormi.

La fenêtre ressemblait à une plaque d'argent et faisait un demi-jour pâle.

Il se leva sur le bout des pieds, entrebâilla sa porte pour voir le temps. Tout le ciel, entre les têtes des bouleaux, ressemblait à ces toiles d'araignée que la rosée emperle.

Il referma, fit une attisée, pria le bon Dieu.

Le Lucon dormait encore. Menaud lui remonta les couvertures sur les épaules, comme il faisait pour Joson, autrefois.

Point de tendresses qu'il n'eût au cœur pour lui maintenant.

Le Lucon, Marie, ces deux noms s'unissaient mystérieusement dans une vision de maison rajeunie, dressée comme une place forte sur le chemin des grands domaines...

Il se mit à fumer tandis que, sur les vitres, fusaient, à la chaleur, les papillons de givre.

Jamais Menaud n'avait trouvé le jour aussi lent à se lever. Car, il y avait un projet qui lui était venu, une issue qui s'était ouverte comme ça, magiquement, dans le fouillis de ses misères, une idée qu'il avait hâte de montrer au grand jour.

Alors, tout le pays, verrait bien que Menaud n'était pas mort dans sa ouache, que le vieil ours savait faire encore sa piste, une piste large, puissante, avec des trous de griffes qui percent la neige jusqu'au sol.

Tout le pays, les coupes, les lacs, les passes, les montagnes verraient qu'un grognement de Menaud pouvait encore faire lever tout le clan des chasseurs, depuis le plateau des Martres jusque là-bas, au loin, partout où des hommes libres dans leurs vieilles cabanes d'héritage, avaient gardé vivant et clair le feu que les Anciens y avaient allumé.

Ah ! yah ! Ah ! yah !

Il essaya de se rappeler la chanson sauvage de la veille.

Il se mit ensuite à ramasser ses nippes, sortit dehors, frotta au clair les lisses de sa traîne, puis, wa ! wa ! comme un enfant, il se mit à battre ses mitaines l'une contre l'autre, tandis que ses chiens lui sautaient au cou, et prenaient des bauches folles dans les étangs roses que répandait partout la première coulée de soleil.

Quand il rentra, le Lucon était debout, l'air perdu dans cet aria de jappements et de chansons.

Menaud lui annonça, sans plus, qu'il partait pour les lacs de Périgny. Il rencontrerait là le vieux Mas qui chassait avec son fils, sur la tête des eaux, au delà de la ligne du Serpent.

Il ne tenait plus en place, étant sur les nerfs, comme on dit, poignant à droite, à gauche, dans ses hardes qu'il jetait, bout-ci, bout-là, dans un sac.

Il était insaisissable, debout, accroupi; et, comme un homme qui craint que le bon sens ne s'interpose, il parlait vite, dévidant toute l'enfilade de ses projets: course aux Martres, au Berly, à la Bergère, course aux étangs de la Noire par delà les Sables.

Puis, avant que le Lucon eût pu placer un mot, il harnacha ses chiens, descendit en deux foulées l'écore du lac, et disparut vers la coupe, celle qu'avaient suivie les Anciens dans leur migration vers le Royaume de Saguenay.

Maintenant, raquettes aux pieds, il reprenait enfin le sentier de sa jeunesse.

Sa fête était grande au milieu de tout ce cortège de souvenirs qui, dans les chemins de soleil, descendaient de partout, affluaient par mille avenues, à travers les colonnades et le décor fantastique de la coupe enneigée.

Il faisait de grands gestes, fredonnait des rengaines de l'ancien temps, s'arrêtait aux vieilles plaques, heureux de frapper, comme un pic d'avril, deux coups pour signifier sa présence de maître à la terre inquiète.

Puis, il repartait à grands pas, la tête haute, les pieds piqués dans ses brides de raquettes, tandis que, derrière lui, dévalait la lumière dans le canal des pistes conquérantes.

« Nous sommes venus ! et nous sommes restés ! »

Ces mots-là détendaient à chaque pas les ressorts de ses vieilles jambes.

« Nous sommes venus ! et nous sommes restés ! »

Il trouvait ces mots-là bons, inépuisablement bons, comme le glaçon de l'air vif dans sa gorge brûlante de batteur de neige !

Nous sommes restés ! Nous sommes restés !

Les étrangers, les traîtres le verraient bien, lorsque lui, Menaud, aurait soulevé, d'un bout à l'autre du pays, tout le clan des libres chasseurs.

Alors, alors, partout, à toutes les portes du domaine, il y aurait une garde tenace, infranchissable, qui, dès les premiers pas de l'intrus, signifierait qu'il valait mieux ne pas empiéter, car les sentinelles étaient debout dans tout le pays, maintenant !

Ah ! yah ! Ah ! yah !

Menaud marchait, marchait toujours, en tempête, escaladait les raidillons, s'agriffait aux branches, sans trêve, et tout son vieux corps invinciblement halé par une pensée impitoyable qui grimpait en avant de lui.

Depuis des heures et des heures maintenant qu'il fouillait dans cette misère !

Il s'arrêta.

Une fatigue soudaine lui avait frappé les reins. Tout le bois se remplit du bourdonnement que le sang lui faisait aux oreilles, s'embruma de cette vapeur qui sortait de sa poitrine velue.

Le jour baissait. Le vent s'était mis en chasse, là-haut, dans les cimes des hautes épinettes.

Menaud, inquiet, regarda la neige qui commençait à s'abattre autour de lui.

Il ralentit sa marche, se mit à faire une piste à mailles drues, profondes et bientôt... à piétonner, comme disent les chasseurs en parlant du gibier exténué.

C'est qu'il avait tout un fourmillement de lueurs étranges, là, devant les yeux, le pauvre ! Il ne trouvait plus ses plaques sous les longs appentis de neige branchue; il se sentait arrêté à chaque pas par la griffe raide de toute chose dans le bois hostile.

Il ôta ses raquettes, s'accota au tronc d'un arbre, presque anéanti, tandis que ses chiens léchaient, en guise de caresses, les glaçons de ses mitasses.

Il calcula qu'il devait être dans le dernier tirant de la longue montée. Après cela, il lui resterait juste une petite traverse pour atteindre les lacs de Périgny. Ses chiens feraient bien le reste ensuite...

La misère qu'il avait, bah ! c'était une vieille connaissance. Les chasseurs l'avaient toujours eue dans leur sac !

Pour se faire illusion, il voulut fumer une pipe, mais... ses allumettes ne prenaient plus.

Alors, toutes ces histoires qu'on lui avait racontées tant de fois, de ces pauvres écartés, morts tout seuls, comme des chiens, dans les nuits de tempête, toutes passèrent dans le ciel brun de son esprit.

Le jour baissait. La barre du soir au bout de la coupe ressemblait à une mâchoire avec des crocs couleur de sang.

Le vent venu des hauts était mauvais de plus en plus.

Peut-être allait-il, lui, payer pour tous... souffrir pour toutes les trahisons !

Dans le passé, presque tout s'était fait au prix du sang.

Mais la génération d'aujourd'hui avait oublié ce prix humain de l'héritage... Elle l'avait laissé profaner comme une chose de peu.

« Des étrangers sont venus... » disait le livre. « Ils ont pris presque tout le pouvoir. Ils ont acquis presque tout l'argent. »

Peut-être, l'heure expiatoire était-elle venue... la grande heure où quelqu'un dût mourir, sa face contre la terre offensée...

Menaud eut peur !

Il se mit à voir partout des signes étranges, prostrés, funèbres... des formes comme des formes humaines ensevelies sous l'immense linceul. Dans toutes les fosses noires où il enfonçait, il sentait des griffes, entendait des menaces...

Il ramassa ce qui lui restait de force pour grimper le surplomb de neige au bord de la coupe... mais, épuisé, vaincu des pieds à la tête, il s'affaissa dans un trou, tandis que tous les démons de la tempête hurlaient au-dessus dans les renversis.

Alors, il fit signe à l'un de ses chiens d'aller au secours en bas.

La nuit noire était tombée.

D'immenses suaires s'abattaient en sifflant.

Ohé ! Ohé ! vous autres... les saints pitoyables qu'il avait toujours priés... les morts... la terre... le grand bois qu'il était venu défendre...

Ohé ! vous autres... les conquérants !

Sa voix râlante n'était plus maintenant qu'une petite chose perdue, blessée, bavolant de-ci, de-là, à travers les huées de la rafale.

Ohé ! Joson... Joson...

Mais bientôt, le râle ne déborda plus du trou de neige, tandis que les pieds de l'homme gelaient dans le linceul où il était entré debout !

CHAPITRE X

Personne n'eût dit qu'il était là !

Plongé dans le silence ! Des jours et des jours à faire le héron.

Par intervalles, haut ! le jeune homme donnait un coup sec, levait la perche... Une truite venait battre sur l'eau... tape ! tape ! troublait le mirage, brouillait la belle laize d'azur entre les deux bandes de l'ombre.

Le Lucon amenait la prise à son chaland, appâtait de nouveau.

Puis, les ombrages tranquilles se renouaient; les petits fils de l'eau recommençaient à pousser sur les branches, sur les corps-morts, comme des rubaniers d'argent; et le bel oiseau bleu du silence s'accouvait jusqu'au prochain poisson.

Depuis un mois, maintenant, qu'il faisait ce jeu-là, qu'il était devenu le compagnon des martins-pêcheurs, des grèbes et des grenouilles, le long des marécages, des bassins clairs, des étangs d'eau morte et que, muet et furtif, il se cachait dans les bois du Pied-des-Monts.

Proscrit !

Depuis le terrible jour où il avait dû ramener Menaud à demi mort pour le remettre entre les bras de Marie, il s'était vu comme emmaillé par les langues des commères. On avait dressé contre lui l'épouvantail des huissiers, de la prison...

Le Délié le pourchassait de sa haine implacable.

Sur les conseils de Marie, il avait regagné la grande forêt.

Et là, la rage au cœur, s'il avait pleuré !

Mais le printemps était venu.

Il s'était dit: « Je redescends ! Ma place, c'est d'être en bas. »

Alors, un beau matin, emporté par un goût de bataille, un besoin de vie, et ses désirs d'amour, il était descendu dans les parages de Mainsal, pour guetter les événements.

Les braconniers l'avaient pris sous leur aile. Son titre de révolté lui avait donné un prestige mystérieux. On se rassemblait pour l'entendre parler du drame de Menaud.

Il racontait alors comment, vers les huit heures du soir, les chiens étaient venus au-devant de lui.

« Ça parle quasiment, les bêtes, dans ce temps-là », disait le Lucon.

Aussitôt, il avait pris sa course.

La tempête voulait tout débâtir.

Vers les dix heures, il avait trouvé le pauvre homme presque enseveli dans un trou de neige.

Ah ! la nuit, la nuit de perdition qu'il avait passée là, à faire du feu, tandis que Menaud, les yeux tout égarouillés, le prenait pour Joson, ou bien se débrageait en criant:

« Des étrangers sont venus ! Des étrangers sont venus ! »

— On sait bien, disaient quelques-uns, la misère l'avait viré.

A l'issue du récit, chacun retournait chez soi, et toute la nuit, les paroles de Menaud rôdaient dans le sommeil du Pied-des-Monts.

Ce matin-là, le Lucon sortit de bonne heure, poussa son chaland vers sa place de pêche.

Le pays s'était d'abord enveloppé dans un cocon de brume; mais, sur le haut du jour, les jeunes feuilles s'étaient mises à sortir de cette filoche, à briller au soleil, toutes tendres, luisantes, parfumées, tandis que, dans les passes d'air chaud et les senteurs de résine, les mouches enivrées dansaient follement.

Il piqua sa gaule d'attache au bord des joncs, s'installa pour faire ses additions de conscience, le feutre rabattu, les yeux posés sans regard comme un couple de macreuses sur la chaleur de l'eau.

Le jour était splendide: herbes, roseaux, feuilles, tout brillait; grenouilles, têtards, fretin, tout exultait.

Tout... à part lui ! condamné à faire figure de vieux corps-mort au milieu de cette fête du printemps.

S'il souffrait !

Depuis cinq jours qu'il était sans nouvelles de Marie; et les dernières ne l'avaient guère rassuré.

Il sortit la lettre, se mit à relire les passages où la fille parlait de son père *à demi infirme et passant des heures et des heures, les yeux fixés sur la montagne, à jargonner comme un homme qui n'a plus son génie.*

La veille, il s'était mis à crier: « Le Lucon! Le Lucon! » Il s'était tenu jusqu'à la nuit noire dans sa fenêtre, à guetter la route.

Une troupe de canards s'abattit soudain et, gaiement, se mit à plonger, à zigailler l'eau; les uns s'emperlant à même tous les bijoux de la mare étincelante, les autres n'en finissant plus de se lisser, de jouer du bec dans leurs plumes ébouriffées.

Puis, toute cette flottille heureuse partait à caboter le long des aulnes, revenait ensuite faire les plongeons et les saluts d'usage.

Le Lucon s'était blotti au fond des quenouilles, l'œil sur cette fête.

Il était loin de cette joie, lui!

L'amour de la liberté et des siens l'avait réduit à n'être plus qu'une bête de marécage.

Mais il en sortirait un jour... bientôt ! bientôt !

La tête lui languissait dans ces idées-là, lorsqu'il vit que les canards s'étaient tous arrêtés, en alerte...

Tout à coup, la troupe se mit à taper de l'aile et s'envola en rasant les roseaux.

Quelqu'un venait sans doute !

Le Lucon, rentré dans ses quenouilles, écoutait comme si rien n'eût existé dans toute cette jungle que ce qui s'approchait de lui.

Soudain :

« Alexis ! Alexis ! »

Dieu ! tout son sang lui monte à la tête.

Elle était là, derrière les aulnes, pâle, échevelée, pareille au spectre de la Malhurée dans les gorges de la Gamelle.

Le jeune homme se leva tout d'un coup, et vite, il fut près d'elle :

— Marie ! Marie ! d'où vient... ? d'où vient ?

Mais elle, affaissée, ne pouvait répondre encore. Tant de choses tourbillonnaient tout autour... les fatigues, le chagrin, la peur...

Alors toutes les tendresses qu'on peut avoir pour un oiselet que le vent bourru déniche, le jeune homme les avait bien pour elle... et encore.

Il lui baisait les mains, lui caressait le front: « Pauvre petite ! » tandis qu'elle s'était mise à pleurer, et que des mots incompréhensibles bouffaient à travers ses sanglots.

Dieu ! il eût bien tout donné pour guérir cette peine !

Au milieu des roseaux la fille était debout. Qu'elle était belle, avec ses pommettes fiévreuses et ses yeux noirs brillant comme deux baies de camarine en pleine rosée d'aurore !

Alors elle dit:

« J'étais venue te chercher... Mon père te veut... Maintenant, laisse-moi partir seule... Il ne faut pas qu'on nous voie ensemble... »

Puis, sans rien ajouter, comme une perdrix qui se lève sous le pied du chasseur, elle s'échappa et disparut dans le détour des chenaux, vers le grand chemin.

Lui, de penser à ces mots. « J'étais venue te chercher », il était comme fou !

Il était devenu comme le centre d'une ronde ensorcelée. Les quenouilles, les herbes, les saules, tout cela lumineux, vivant, tournait autour de lui et criait: « Va-t'en ! tu n'es pas une bête de rouches ! Va-t'en ! toi, le piqueur d'embâcles, Va-t'en ! toi, le batteur de montagnes... ! Reprends les vieux chemins de liberté et marche ! Avant partout ! »

Alors, le jeune homme partit à travers bois, et il allait, enjambant les rigoles, coupant les mailles d'eau, piquant au plus court, à travers les vasières, les ferdoches, les corps-morts.

Il ne sentait plus la griffe ni le croc de cette jungle.

Il traversa le rang des Caribous, en deux sauts atteignit la mare à Josime où le caliberdas des grenouilles s'arrêta sec, tandis qu'un héron s'enfuyait des clajeux en traînant ses béquilles.

Il entra dans les labours de Mainsal.

C'était l'heure où les fumées du soir s'élèvent droites comme les fleurs de l'épilobe.

Il obliqua vers les maisons. Il descendait les creux à la course, s'arrêtait sur chaque butte, le cœur lui débattant devant le spectacle de toutes ces terres qui, sorties de la morte saison, vivantes, ruisselantes, houlaient vers les monts bleus et les bois reverdis.

C'était cela qu'il venait défendre.

Avec tous les siens, oui, c'était cela qu'il venait défendre.

« Marche ! Avant partout ! », c'était bien ce que lui avait commandé le pays.

Déjà ce torrent de visions, d'amour et de paroles avait emporté le jeune homme au sommet de la butte, droit en arrière de la maison grise, et il allait prendre son dernier élan, lorsqu'il vit un attroupement de monde qui s'avançait dans le chemin.

Alors, pressentant un malheur, il se mit à courir vers le cortège au milieu duquel on voyait comme une sorte de grand oiseau noir qu'on eût traîné par les ailes.

En deux enjambées, le Lucon fut là.

Quelqu'un dit:

« C'est Menaud ! Depuis deux ou trois jours qu'il déparlait. Il a profité d'une absence de Marie pour faire une escapade. On l'a trouvé près de la R'source. Il faisait peur aux enfants. Il épaulait sa béquille comme ça et criait:

« Regardez! ils vont venir! »

« Alors, on l'a ramené, le pauvre homme! »

Le Lucon s'ouvrit un chemin jusqu'à la chambre où les femmes s'empressaient autour du malheureux.

Lui, pâle, tout égarouillé, dès qu'il vit le jeune homme:

« Joson! Joson! » se mit-il à dire. Il riait, pleurait, battait des bras comme pour une étreinte.

Puis l'obsession revenait:

« Des étrangers sont venus! Des étrangers sont venus! » criait-il.

« Joson, Alexis! La montagne en est pleine! Tout le pays en est plein! Ohé! les gars, un coup de cœur! Nous sommes d'une race qui ne sait pas mourir. »

Le jeune homme assistait, muet et accablé, à cette scène.

C'était le fond de son cœur qu'au milieu des réflexions naïves, des histoires et des pitiés banales, le vieux draveur découvrait à nu! C'étaient ses pensées, ses angoisses, ce qui l'avait fait vivre, souffrir, ce qui l'avait poussé à chasser le traître loin de sa maison, à battre le ban pour soulever les siens contre les empiétements de l'étranger, c'était la passion qui l'avait emporté vers le clan des libres chasseurs et que la tempête et la nuit avaient vaincue!

Le Lucon brûlait de crier à tout ce train de soigneuses et de curieux:

« Allez-vous-en; vous ne comprenez rien. Vous ne savez point ce qu'il y a au fond de ce délire. »

Il demanda:

« Où est Marie ? »

Alors, sans s'occuper des commères, et parce que c'était à lui que l'appel de Menaud demandait réponse, il se précipita dans la chambre où la jeune fille s'était enfermée.

Dès qu'elle le vit, entre deux sanglots:

« Je n'ai plus que toi... » dit-elle.

Le Lucon avait baissé la tête.

Entre cette fille et lui, s'interposait le souvenir des paroles du dernier soir avant le départ pour la montagne.

Alors, quand tout le patrimoine menacé s'était agrippé à lui, suppliant: « Tu ne nous abandonneras pas ! » Marie avait opposé son rêve à elle, son idéal de vie enclavée, pareille à celle de ces égoïstes qui n'avaient rien voulu entendre au delà de leurs clôtures.

« Il y a de la bonne terre, avait-elle dit; ce serait plaisant de vivre icitte tranquille ! »

Sans trop le vouloir, le Lucon avait prononcé ces derniers mots à haute voix.

La jeune fille se figea, silencieuse.

On entendait Menaud battre de ses appels le grand désert de sa folie.

« Vivre icitte tranquille... vivre icitte tranquille, ce serait plaisant, murmura-t-elle... oui ! mais... il faut penser à tout le pays, aussi... Alors, si tu as de l'amitié pour moi, tu continueras comme Joson, comme mon père ! »

Puis, toute dans le refuge des bras qu'il ouvrait, longtemps elle pleura contre son visage.

Dehors, les hommes fumaient, sans rien dire.

Le soir était tiède et, sur l'eau des mares et des rigoles, bouillonnait la clameur des grenouilles.

De temps en temps, par les fenêtres ouvertes, débordait le cri d'angoisse de Menaud:

« Des étrangers sont venus ! Des étrangers sont venus ! »

Alors, au milieu des hommes qui se passaient la main sur le front contre le frôlement de cette démence, lentement le vieil ami de la terre, Josime, prononça:

« C'est pas une folie comme une autre ! Ça me dit, à moi, que c'est un avertissement. »

Charlevoix, 1937.

LES NOMS GÉOGRAPHIQUES

Le pays de Menaud est situé au nord-ouest de La Malbaie.

Il comprend, dans la paroisse de Sainte-Agnès, les rangs de Mainsal, de Cachette-Aubin, de Miscoutine, des Frênes et des Caribous; le Grand-Lac, le Petit-Lac, la mare à Josime; les montagnes à Philémon, du Friche et de la R'source, etc.

★

Une région forestière s'étend de la paroisse de Sainte-Agnès jusqu'au delà de la ligne du Serpent qui limite au nord le comté de Charlevoix.

On y trouve les Eaux-Mortes de la rivière Malbaie; les montagnes de l'Eboulée, des Erables, des Farouches, de la Basilique; les décharges des Martres, du Foulon, de la Noire; les lacs Basile, de Périgny, des Berly, de la Bergère, de la Pointe-à-Jérôme.

★

Sont situés au nord de Clermont: la rivière Sinigolle, la chute de la Gamelle, la montagne de la Chaîne, les marais de Prêles.

★

La Comporté et l'Accul sont des faubourgs de La Malbaie.

CHRONOLOGIE

1896 Naissance de Félix-Antoine Savard, à Québec, le 31 août, du mariage de Louis-Joseph Savard et d'Ida-Geneviève Gosselin.

1898 La famille Savard se fixe à Chicoutimi.

1904-11 Études primaires chez les frères maristes.

1911-18 Études classiques au Petit Séminaire de Chicoutimi.

1918-22 Études théologiques au Grand Séminaire et enseignement en Belles-Lettres et en Rhétorique au Petit Séminaire de Chicoutimi.

1922 Le 4 juin, il est ordonné prêtre par Mgr Michel-Thomas Labrecque dans la cathédrale de Chicoutimi.

1922-26 Professeur de Rhétorique au Petit Séminaire de Chicoutimi.

1926 Essai de vie monastique chez les Bénédictins. Vicaire à Bagotville : début d'un long ministère paroissial.

1927 Vicaire à Sainte-Agnès. Ministère auprès des bûcherons et des draveurs du comté de Charlevoix. Rencontre du maître-draveur Joseph Boies qui servira de modèle pour Menaud.

1929-31 Vicaire à La Malbaie.

1931-45 Fondateur et curé de la paroisse Saint-Philippe de Clermont.

1934 L'abbé Savard fonde une société de colonisation dans Charlevoix. Fondation de deux paroisses en Abitibi : Beaucanton et Villebois. Prêtre-colonisateur de 1934 à 1938.

1937 Parution de *Menaud, maître-draveur,* chez Garneau, à Québec.

1938 Lauréat de l'Académie française, Prix de la Langue française à l'auteur de *Menaud, maître-draveur.*

1939 Le Grand Prix de la Province de Québec (Prix David) est décerné à l'auteur de *Menaud.*

1940 Avec M. Luc Lacourcière, l'abbé Savard projette de fonder les Archives de folklore à l'Université Laval.

1941 Cours d'été à l'Université Laval : Les réalités de la Nature.

1942 Cours d'été : L'observation poétique de la nature.
1942-48 Enregistrement de documents d'enquêtes folkloriques et littéraires dans les régions de Chicoutimi de l'Abitibi, de l'Île-aux-Coudres, mais principalement dans la région de Charlevoix.

1943 Cours d'été : Claudel : *Connaissances de l'Est, L'Oiseau noir dans le soleil levant.*

1944 Parution de l'*Abatis.* Cours d'été : Claudel : *les Cinq grandes odes.*
Parution de la version définitive de *Menaud, maître-draveur.* Fondation des Archives de folklore de l'Université Laval. L'abbé Savard est nommé professeur agrégé et titulaire de la chaire de poésie à la Faculté des lettres de l'Université Laval.

1945 *Menaud, maître-draveur* est couronné par l'Académie française. L'abbé Savard est reçu membre de la Société royale du Canada qui lui décerne la médaille Lorne Pierce.

1945-46 Cours réguliers à la Faculté des lettres de l'Université Laval : Claudel et la poésie lyrique ; La poésie lyrique : l'ode.

1947   Jubilé d'argent sacerdotal.
        1946-47 Cours : La poésie lyrique populaire en France à l'époque du Moyen Âge.

1948   Parution de *La Minuit.* Prix Duvernay décerné par la Société Saint-Jean-Baptiste de Montréal.
        1947-48 Cours : Le lyrisme au Moyen Âge (fin du Moyen Âge et Pré-Renaissance).

1949   Participation au Congrès international d'archéologie et d'histoire de la civilisation, à Paris.
        1948-49 Cours : Le lyrisme au Moyen Âge.
        1949-59 Avec M. Luc Lacourcière et M. Roger Matton, enregistrement de documents d'enquêtes folkloriques, particulièrement dans la région du Nouveau-Brunswick.

1950   1950-55 Président de la Société du Parler français au Canada
        1950-57 Doyen de la Faculté des lettres de l'Université Laval.
        1949-50 Cours : Le XVIe siècle littéraire français : Ronsard et la Pléiade. L'abbé Savard prononce dix conférences à la Sorbonne sur la Civilisation canadienne-française. Conférences dans les villes de Rome, Barcelone, Lyon, Poitiers. Élévation à la dignité de prélat domestique par Pie XII.

1951   Au printemps, l'abbé Savard rencontre les milieux littéraires de Paris, Rome, Barcelone.
        1950-51 Cours : Claudel et le lyrisme poétique des *Cinq grandes odes* et de *Connaissance de l'Est.*

1952   Il est reçu à la Société historique du Nouvel Ontario.
        1951-52 Cours : La littérature canadienne et nos poètes contemporains.

1953 L'Académie française décerne à Mgr Savard la médaille Richelieu.
1952-53 Cours : Les poètes de la terre : Mistral et Ramuz.

1955 Il est reçu à l'Académie canadienne-française.

1957 Boursier de la John Simon Guggenheim Memorial Fondation.

1958 Doctorat d'honneur de l'Université de Montréal.

1959 Parution de *Martin et le Pauvre* et *le Barachois*.

1960 Prix du Gouverneur général pour *le Barachois*.
Parution de *la Folle*.

1965 Boursier du ministère des Affaires culturelles du Québec.
Parution de *la Dalle-des-mòrts*.

1966 Il fonde, à Saint-Joseph-de-la-Rive, la Papeterie Saint-Gilles. Création, par le théâtre du Nouveau Monde, sous la direction de Jean Gascon, de *la Dalle-des-morts*. Il reçoit un doctorat d'honneur de l'Université de Sherbrooke.

1967 Il est nommé professeur émérite de la Faculté des lettres de l'Université Laval.

1968 Il est nommé officier de l'Ordre du Canada.
Parution de *Symphonie du Misereor*.

1970 Doctorat d'honneur de l'Université Laval.

1971 Il est attaché au Centre de recherche en civilisation canadienne-française de l'Université d'Ottawa.

1972 Doctorat d'honneur de l'Université d'Ottawa.

1973 Parution de *Journal et Souvenirs I*.

1974 Il reçoit la médaille Gloire de l'Escholle de l'Association des anciens de l'Université Laval.

1975   Parution de *Journal et Souvenirs II*.
Parution de *Aux marges du silence,* Édition de luxe par Michel Nantel, tirage de 50 exemplaires.
Parution de *Aux marges du silence*.
Parution de *Discours d'un vieux Sachem buron,* Édition de luxe par Michel Nantel, sur papier Saint-Gilles, tirage de 100 exemplaires.

1976   Parution de *Master of the River,* traduit par Richard Howard.

1978   Parution de *Carnet du soir intérieur I*.

1979   Parution de *Carnet du soir intérieur II*. Le 2 mai, doctorat d'honneur de l'Université du Québec à Chicoutimi.

BIBLIOGRAPHIE

I. *OEUVRES*

Menaud, maître-draveur, Québec, Librairie Garneau, 1937, 265 p.

Québec, Librairie Garneau, 1938, 271 p. [suivi d'un *Petit glossaire*].

dans *l'Action catholique,* vol. XXXII, nos 9939-9962 (24 mars-22 août 1939).

Montréal, Fides, 1944, 153 p. (Collection du Nénuphar).

Montréal et Paris, Fides, [1957], 153 p. (Collection du Nénuphar).

Montréal et Paris, Fides, [1960], 215 p. (Collection Alouette bleue).

Montréal et Paris, Fides, [1964], 149 p. (Collection du Nénuphar).

présentation d'André Renaud. Montréal et Paris, Fides, [1965], 215 p. (Collection Bibliothèque canadienne-française).

illustrations de Michelle Thériault, Montréal et Paris, Fides, [1967], 211 p. [Édition de luxe].

présentation d'André Renaud, Montréal et Paris, Fides, [1970], 215 p. (Collection Bibliothèque canadienne-française).

illustrations originales de Gaston Barret, dans *l'Humanité en marche. Le Québec,* par Maurice Séguin. Préface de René Lévesque, avant-propos de Claude Ryan, [France], Imprimerie de France, Éditions du Burin, Presses du Compagnonnage, [1973], p. [169]-280.

chronologie et bibliographie de base d'Aurélien Boivin, présentation d'André Renaud, Montréal, Fides, [1978], 214 p. (Collection Bibliothèque canadienne-française).
adaptation radiophonique et dialogues de Jean-Louis Roux, réalisation de Guy Beaulne, présentée à Radio-Canada dans le cadre de l'émission « les Grands Romans canadiens », le dimanche 3 juin 1951, [35 f.].

Boss of the River. Foreword by Allan Sullivan, Toronto, The Ryerson Press, 1947, ix,131 p.

Master of the River. Translated by Richard Howard, Montreal, Harvest House, [1976], 135 p.

L'Abatis, dessins d'André Morency, Montréal, Fides, 1943, 209 p.
préface de Luc Lacourcière, dessins d'André Morency, Montréal, Fides, [1960], 158 p. (Collection du Nénuphar).
Montréal, Fides, [1969], 167 p. (Collection du Nénuphar).
précédé d'une biographie, d'une chronologie et de jugements critiques,
Montréal, Fides, [1969], 168 p. (Bibliothèque canadienne-française).
Montréal, Fides, [1971], 168 p. (Collection du Nénuphar).
[précédé d'une biographie, d'une bibliographie et de jugements critiques de Kenneth Landry], Montréal, Fides, [1978], 168 p. (Bibliothèque canadienne-française).

La Minuit, Montréal, Fides, 1948, 177 p.
Montréal, Fides, 1949, 177 p. (Collection du Nénuphar).
Montréal, Fides, [1962], 177 p. (Collection du Nénuphar).

Le Barachois, Montréal, Fides, [1959], 206 p.
préface de Benoît Lacroix, Montréal et Paris, Fides, [1963], 173 p. (Collection du Nénuphar).

préface de Benoît Lacroix, Montréal, Fides,[1968],173 p. (Collection du Nénuphar).

Martin et le Pauvre, Montréal et Paris, Fides, [1959], 61 p. Montréal, Fides, [1961], 61 p.

La Folle. Drame lyrique en trois tableaux, Montréal et Paris, Fides, [1960], 91 p.
dans *la Dalle-des-Morts* suivie de *la Folle,* préface de Jean Du Berger, Montréal, Fides, [1969], 237 p. [v. p. 165-237]. (Collection du Nénuphar).

La Dalle-des-morts. Drame en trois actes, Montréal et Paris, Fides, [1965], 153 p.
suivie de *la Folle,* préface de Jean Du Berger, Montréal, Fides, [1969], 237 p. [v. p. 17-163]. (Collection du Nénuphar).

Symphonie du Misereor, Ottawa, Éditions de l'Université d'Ottawa, 1963, 43 p. (Collection Voix vivantes).

Le Bouscueil. Poèmes et proses, Montréal, Fides, [1972], 249 p.

La Roche Ursule. Poésie, lithographies en couleur de Sabine Allard, Québec, S. Allard, [1972], 12 f. dans une chemise.

Journal et Souvenirs I, Montréal, Fides, [1973], 222 p. (Collection Cahiers du Centre, Université d'Ottawa).

Aux marges du silence, dix gravures de Monique Charbonneau, emboitage de Pierre Ouvrard, [Châteauguay], Éditions Michel Nantel, [1974], 127 p. [Édition de luxe]. Québec, Éditions Garneau, [1975], 107 p.

Discours d'un vieux sachem huron à l'occasion des fêtes du tricentenaire du diocèse de Québec, Lacolle, Éditions Michel Nantel, [1975], 1 portefeuille.

Discours, précédé d'une présentation de l'auteur par Luc Lacourcière, Montréal, Fides, [1975], 154 p.

Journal et Souvenirs II (1963-1964), Montréal, Fides, [1975], 261 p.

Carnet du soir intérieur, vol. 1, Montréal, Fides, [1978], 207 p.

Carnet du soir intérieur, vol. 2, Montréal, Fides, [1979], 156 p.

II. *ÉTUDES*

AUBIN, Louis-Joseph (abbé), « *Menaud, maître-draveur* », dans *l'Alma Mater* (Séminaire de Chicoutimi), 2ᵉ série, vol. II, nᵒˢ 9-10 (septembre 1937), p. 3-4.

BARBÉRIS, Robert, « Sur la lecture de *Menaud*. Félix-Antoine Savard et les ‹ idées intangibles › », dans *le Jour*, vol. II, nᵒ 25 (29 mars 1975), p. 12 [reproduit dans *la Fin du mépris. Écrits politiques et littéraires (1966-1976)*, [Montréal], Parti, pris, [1978], p. 188-191].

BÉLANGER, Henri, « les Mots québécois de Savard », dans *Co-Incidences*, vol. II, nᵒ 3 (novembre 1972), p. 45-52.

BOIVIN, Aurélien, « Biographie » et « Bibliographie », dans *Québec français*, nᵒ 17 (février 1975), p. 26 [reproduit dans *Romanciers du Québec*, [Québec], Québec français, 1980, p. 182, 198-199].

« Louis Hémon et les romanciers québécois : influence et récupération du discours », dans *les Cahiers de l'Iroise* (Brest, Bretagne), vol. XXVII, nᵒ 4 (octobre-décembre 1980), p. 201-208 [v. p. 205-207] [reproduit dans *Études canadiennes*, 7ᵉ année, nᵒ 10 (juin 1981), p. 113-123 [v. p. 118-120].

BOIVIN, Léonce (abbé), « À propos de *Menaud, maître-draveur* », dans *le Progrès du Saguenay*, vol. L, nᵒ 73 (24 mars 1938), p. 3.

BOUSQUET, Jean, o.p., « les Livres et leurs auteurs. Félix-Antoine Savard. *Menaud, maître-draveur* [...] », dans *le Devoir*, vol. XXVIII, n° 263 (15 novembre 1937), p. 6.

BROCHU, André, « Menaud ou l'Impossible Fête », dans *l'Action nationale*, vol. LVI, n° 3 (novembre 1966), p. [266]-291.

BRUNET, Berthelot, « M. Savard a trouvé son joint », dans *le Canada*, vol. XLII, n° 73 (29 juin 1944), p. 4.

CHARBONNEAU, Flavien, c.s.c., « Littérature sociale. De *Menaud à la Minuit* », dans *Relations*, vol. VIII, n° 91 (juillet 1948), p. 212-214.
« Idéal et Principes. La portée sociale de l'œuvre de Monseigneur Savard », dans *Lectures*, vol. IX, n° 1 (septembre 1952), p. 5-11 [suivi de « Notes biographiques », p. 12-14].

CHARBONNEAU, Robert, *Romanciers canadiens*, Québec, les Presses de l'Université Laval, 1972, p. [115]-121. (Vie des lettres canadiennes, n° 10).

CHARLAND, Roland-M. et J.-N. SAMSON, « Félix-Antoine Savard », dans *Lectures* (numéro spécial), nouvelle série, vol. XII, n°s 6-7 (février-mars 1966), p. 139-195 [reproduit dans *Dossiers de documentation sur la littérature canadienne-française*, Montréal, Fides, [1966], n° 4, 66 p.].

COUTURE, Sévère [pseudonyme de Rex DESMAR-CHAIS], « l'Enseignement de Sévère Couture », dans *le Jour*, vol. I, n° 31 (16 avril 1938), p. 3.

DAIGNEAULT, Yvon, « Étude de la technique et de l'art romanesque de *Menaud, maître-draveur*, roman de Mgr Félix-Antoine Savard ». Thèse de maîtrise ès arts en français, Ottawa, Université d'Ottawa, 1967, vi,138 f.
« *Menaud, maître-draveur* devant la critique 1937-1967 », dans *Livres et Auteurs québécois*, 1969, p. 248-262.

DANDURAND, Joseph (abbé), « Notes de lecture. *Menaud, maître-draveur* », dans *le Progrès du Saguenay,* vol. L, nº 45 (9 septembre 1937), p. 1.

DANTIN, Louis [pseudonyme d'Eugène SEERS], « Revue des livres. *Menaud, maître-draveur* », dans *l'Avenir du Nord,* vol. XLII, nº 44 (4 novembre 1938), p. 1-2.

DEGAGNÉ, Narcisse (abbé), « Sur *Menaud, maître-draveur* », dans *le Progrès du Saguenay,* vol. L, nº 50 (14 octobre 1937), p. 45.

DERFLA [pseudonyme], « Sur *Menaud, maître-draveur* », dans *le Progrès du Saguenay,* vol. LXVI, nº 30 (5 septembre 1953), p. 3, 12.

DUCROCQ-POIRIER, Madeleine, *le Roman canadien de langue française de 1860 à 1958.* Recherche d'un esprit romanesque, Paris, A. G. Nizet, 1978, p. 327-333, 850-853.

DUHAMEL, Roger, « *Menaud, maître-draveur* », dans *la Province,* vol. III, nº 33 (13 novembre 1937), p. 4.

DUMOUCHEL, Bernard, « le Mythe chez Menaud », dans *Co-Incidences,* vol. II, nº 3 (novembre 1972), p. 27-35.

DUMOUCHEL, Gérard et Paul HENRI, « la Société du Parler français au Canada. Linguistique canadienne. La langue de l'abbé Félix-Antoine Savard », dans *Revue de l'université Laval,* vol. II, nº 4 (décembre 1947), p. 350-352.

ÉTHIER-BLAIS, Jean, « ‹ le Vol des oies sauvages › », dans *Études françaises,* vol. II, nº 1 (février 1966), p. 99-105 [reproduit dans *Signets II,* [Montréal], le Cercle du livre de France, [1967], p. 131-148].

GAULIN, André, « Interview. Portages », dans *Québec français,* nº 17 (février 1975), p. 20-21.
« Du mystère de Menaud-Savard », *le Jour,* vol. II, nº 35 (12 avril 1975), p. 18.

GAUVREAU, Jean-Marie, « Présentation de Mgr Félix-Antoine Savard », dans *Société royale du Canada* (section française), n° 3, (1945-1946), p. [37]-50 [suivi de la « Réponse de M. l'abbé Félix-Antoine Savard, p. [51]-63].

GENEST, Jean, « Livres récents », dans *Relations,* vol. IV, n° 44 (août 1944), p. 223.

GOULET, Élie, « Mgr Savard, un maître de notre littérature », dans *Revue de l'université Laval,* vol. VI, n° 8 (avril 1952), p. 648-658.

GRANDPRÉ, Pierre de et Roger DUHAMEL, dans *Histoire de la littérature française du Québec,* tome II *(1900-1945),* sous la direction de Pierre de Grandpré, Montréal, Librairie Beauchemin limitée, 1968, p. 273-280.

HAMEL, Émile-Charles, « Critique littéraire. *Menaud, maître-draveur* de Félix-Antoine Savard », dans *le Jour,* vol. I, n° 13 (11 décembre 1937), p. 3.

HAMEL, Réginald, John HARE et Paul WYCZYNSKI, *Dictionnaire pratique des auteurs québécois,* Montréal, Fides, [1976], p. 622-624.

HÉBERT, Maurice, « Quelques livres de chez nous. *Menaud, maître-draveur* », dans *le Canada français,* vol. XXV (octobre 1937), p. [225]-232 et (novembre 1937), p. [320]-335.

HERISSAY, Jacques, « Un grand romancier canadien », dans *Relations,* vol. II, n° 97 (janvier 1949), p. 14-15 [reproduit de *Livres et Lectures,* octobre 1948].

HERTEL, François [pseudonyme de Rodolphe DUBÉ], « *Menaud, maître-draveur* », dans *la Relève,* 3e série, 8e cahier (septembre-octobre 1937), p. 216-219.

JASMIN, Guy, « Succès d'un roman. *Menaud, maître-draveur,* par l'abbé Félix-Antoine Savard [...] », dans *le Canada,* vol. XLII, n° 58 (12 juin 1944), p. 5.

LABELLE, Luc, « Une folie pas comme les autres », dans *Co-Incidences,* vol. II, nᵒ 3 (novembre 1972), p. 22-26.

LACOURCIÈRE, Luc, « le Roman de M. Félix-Antoine Savard. Le drame de la fatalité dans *Menaud, maître-draveur* », dans *le Journal,* vol. IX, nᵒ 234 (10 octobre 1938), p. 4.

LAPRISE, Maryo, « Menaud et le Nationalisme », dans *Incidences,* nᵒ 13 (hiver 1968), p. 11-12.

LAURENDEAU, Arthur, « Vie de l'esprit. *Menaud, maître-draveur* », dans *l'Action nationale,* vol. XI, nᵒ 4 (avril 1938), p. 329-338.

LAVERDIÈRE, Jean-Louis, « Découvrir Savard dans la dimension de sa jeunesse et vouloir le dire », dans *Québec français,* nᵒ 17 (février 1975), p. 24-25 [reproduit dans *Romanciers du Québec,* [Québec], Québec français, 1980, p. 193-197].

LEBEL, Maurice, « Histoire de la littérature canadienne-française. Mgr Félix-Antoine Savard (né en 1896) », dans *l'Instruction publique,* vol. III (mars 1959), p. 636-644 [reproduit dans *D'Octave Crémazie à Alain Grandbois. Études littéraires,* Québec, les Éditions de l'Action, 1963, p. 113-127].

LÉGARÉ, Romain, o.f.m., « Littérature et Climat de culture », dans *Culture,* vol. III (1942), p. 193-219.
« les Livres canadiens », dans *Culture,* vol. VI (1945), p. 132-133 [reproduit sous le titre « Sur deux œuvres de l'abbé F.-A. Savard », dans *le Devoir,* vol. XXXVI, nᵒ 108 (12 mai 1945), p. 8 ; [Errata], nᵒ 114 (19 mai 1945), p. 8].
« Études d'autres canadiens. Mgr Félix-Antoine Savard », dans *Lectures,* nouvelle série, vol. V, nᵒ 8 (15 décembre 1958), p. 115-117.

LEMIEUX, Pierre-H., « Liminaire. Épître à Menaud », dans *Co-Incidences,* vol. II, n⁰ 3 (novembre 1972), p. 3-11.

LE NORMAND, Michelle [pseudonyme de Marie-Antoinette TARDIF], « Chronique. Deux beaux livres », dans *le Devoir,* vol. XVIII, n⁰ 198 (27 août 1937), p. 1.

MAJOR, André, « le Pays de Menaud », dans *l'Action nationale,* vol. LVI, n⁰ 1 (septembre 1966), p. [66]-68.
Félix-Antoine Savard, Montréal et Paris, Fides, [1968], 190 p. (Collection Écrivains canadiens d'aujourd'hui, n⁰ 6). [Bibliographie, p. 185-188].

MALETTE, Yvon, « *Menaud, maître-draveur* et *Maria Chapdelaine* », dans *Incidences,* n⁰ 13 (hiver 1968), p. 20-28.

MARIE-VICTORIN, f.é.c. [Conrad KIROUAC], « les Sciences naturelles au service des lettres. *Menaud, maître-draveur* devant la nature et les naturalistes », dans *les Annales de l'ACFAS* (Montréal), vol. IV (1938), p. 335-352.

MARTINEAU, François, « le Sens originel des extraits de *Maria Chapdelaine* dans *Menaud* », dans *Co-Incidences,* vol. II, n⁰ 3 (novembre 1972), p. 12-21.

MELANÇON, Georges (Mgr), « Monseigneur Félix-Antoine Savard, p. d. », dans *l'Alma Mater* (Séminaire de Chicoutimi), série 4, vol. IV, n⁰ 5 (janvier-février 1951), p. 389-390.

MONFILS, Gérard, « les Personnages de *Menaud* et la Fatalité dans *Menaud* », dans *Incidences,* n⁰ 13 (décembre 1968), p. 13-19.

L'ONCLE GASPARD [pseudonyme de Jean-Marie TURGEON], « *Menaud, maître-draveur* », dans *le Journal,* vol. VIII, n⁰ 172 (10 juillet 1937), p. 4.

PELLETIER, Albert, « Revue des livres. F.-A. Savard — *Menaud, maître-draveur* », dans *les Idées,* 3e année, vol.

VI, n° 6 (décembre 1937), p. 382-383 [reproduit dans *le Terroir,* vol. XIX, n° 8 (janvier 1938), p. 8].

PELLETIER, Gérard, « Un grand poète et son pays », dans *J.E.C.,* vol. VI, n° 11 (novembre 1940), p. 6-7.

POTVIN, Damase, « Sur un nouveau roman. *Menaud, maître-draveur,* par Félix-Antoine Savard », dans *l'Action catholique,* vol. XXX, n° 9 453 (20 août 1937), p. 4.

RICARD, François, *l'Art de Félix-Antoine Savard dans* ‹*Menaud, maître-draveur* ›, Montréal, Fides, 1972, 142 p. (Études littéraires). [Bibliographie, p. 135-140].

« *Menaud, maître-draveur,* roman de l'abbé Félix-Antoine Savard », dans *Dictionnaire des œuvres littéraires du Québec,* t. II : *1900-1939,* Montréal, Fides, [1980]. p. 691-700.

ROBIDOUX, Réjean et André BROCHU, *le Roman canadien du vingtième siècle,* Ottawa, Éditions de l'Université d'Ottawa, 1966, p. 33-43.

ROCNOIR [pseudonyme], « *Menaud, maître-draveur* », dans *la Nation,* vol. II, n° 34 (30 septembre 1937), p. 3.

« les Fureurs d'Albert Pelletier », dans *la Nation,* vol. III, n° 3 (24 février 1938), p. 3.

ROY, Marie, « Analyse des similitudes entre *Menaud, maître-draveur* et *la Dalle-des-morts* », dans *Protée,* vol. II, n° 3 (mai 1973), p. 69-80.

ROY-HEWITSON, Lucille, « *Menaud, maître-draveur* : un homme et son pays », dans *Liberté,* vol. XI, n° 6 (novembre-décembre 1969), p. 89-98.

SAINT-GERMAIN, Clément, « *Menaud, maître-draveur* », dans *le Bloc,* vol. II, n° 20 (17 mai 1945), p. 6-7.

SAINTE-MARIE-ÉLEUTHÈRE (sœur) [Marie-Thérèse LAFOREST], *la Mère dans le roman canadien-français,* Québec, les Presses de l'université Laval, 1964, p. 18-26. (Vie des lettres canadiennes, n° 1).

SAVARD, Félix-Antoine (Mgr), « le Conte de Menaud », dans *Bulletin du centre de recherche en civilisation canadienne-française,* vol. III, n° 1 (décembre 1972), p. 13-21 [reproduit dans *Québec français,* n° 17 (février 1975), p. 22-23].

SÉBASTE [pseudonyme de Claude-Henri GRIGNON], « la Littérature canadienne. Menaud dépossédé », dans *En Avant !,* vol. I, n° 39 (8 octobre 1937), p. 3.

SERVAIS-MAQUOI, Mireille, *le Roman de la terre au Québec,* Québec, les Presses de l'université Laval, 1974, p. [69]-95. (Vie des lettres canadiennes, n° 12).

SMITH, Donald, « Entrevue. Félix-Antoine Savard, un écrivain qui s'incarne en nous », dans *Lettres québécoises,* n° 3 (septembre 1976), p. 32-34 [suivi de Félix-Antoine Savard répond aux questions de notre collaborateur, p. 35-38].

« Hommage à Mgr Félix-Antoine Savard », dans *Revue de l'université Laurentienne,* vol. IX, n° 1 (novembre 1976), p. 115-118.

TALBOT, Émile, « les Incarnations d'un texte nationaliste : Hémon, Savard, Carrier », dans *Présence francophone,* n° 20 (printemps 1980), p. 137-145.

TAVI [pseudonyme de l'abbé Albert TESSIER], « Sur les traces de *Menaud, maître-draveur* avec l'abbé Savard », dans *le Mauricien,* vol. II, n° 11 (novembre 1938), p. 18-19.

THÉORET, Richard, « Menaud épique », dans *Co-Incidences,* vol. II, n° 3 (novembre 1972), p. 36-44.

THÉRÈSE-DU-CARMEL (sœur) [Lucienne BLAIS], *Bibliographie analytique de l'œuvre de Félix-Antoine Savard,* préface de Luc Lacourcière, Montréal et Paris, Fides, [1967], 229 p.

T[OUPIN], A., « Bibliographie. Félix-Antoine Savard. *Menaud, maître-draveur* [...] », dans *Revue de l'Université d'Ottawa,* vol. XV, nº 1 (janvier-mars 1945), p. 125-126 [reproduit sous le titre « *Menaud, maître-draveur* », dans *l'Action catholique,* vol. XXXVIII, nº 11 745 (9 mars 1945), p. 4].

T[REMBLAY], J.-A[rmand], « Bibliographie. Félix-Antoine Savard. *Menaud* », dans *Revue de l'Université d'Ottawa,* vol. VIII, nº 1 (janvier-mars 1938), p. 132-134.

« *Menaud, maître-draveur* », dans *Revue de l'Université d'Ottawa,* vol. XV, nº 1 (janvier-février 1945), p. 125-126.

TREMBLAY, J.-J., « Critique littéraire. Autour de Menaud », dans *le Droit,* vol. XXV, nº 235 (12 octobre 1937), p. 3.

[UNIVERSITÉ DU QUÉBEC À CHICOUTIMI], *Remise d'un doctorat honorifique à Monseigneur Félix-Antoine Savard. Le deux mai mil neuf cent soixante-dix-neuf,* [Chicoutimi, Université du Québec à Chicoutimi, 1979], 20 p.

VALDOMBRE [pseudonyme de Claude-Henri GRIGNON], « Au pays du Québec. S'agirait-il d'un chef-d'œuvre ? », dans *les Pamphlets de Valdombre,* vol. I, nº 9 (août 1937), p. [377]-395.

« Médecin, guéris-toi toi-même ! », dans *les Pamphlets de Valdombre,* vol. II, nº 4 (mars 1938), p. 164-171 [reproduit dans *En avant !,* vol. III, nºs 13-15 (8, 15 et 22 avril 1938), p. 3].

VANASSE, André, « la Notion de l'étranger dans la littérature canadienne. — III. *Menaud* ou le conflit de deux mentalités », dans *l'Action nationale,* vol. LV, nº 4 (décembre 1965), p. [484]-488.

VANHEE-NELSON, Louise, « Trois versions de *Menaud, maître-draveur* », dans *Essays on Canadian Writing*, n° 15 (Summer 1979), p. 86-110.

VIATTE, Auguste, « Une épopée canadienne : *Menaud, maître-draveur* », dans *les Amitiés catholiques françaises* (Paris), 15 mai 1938.

JUGEMENTS CRITIQUES

« Que l'auteur de *Menaud* emploie couramment des beaux mots du pays de Québec, tels que ‹ drave ›, ‹ draveur ›, ‹ bleuetière ›, ‹ abatis ›, ‹ corps-morts ›, ‹ portage ›, ‹ boucane ›, ‹ poudrerie › et combien d'autres, nous devons l'en féliciter. Mais là surtout, où il honore le génie de la langue, c'est lorsqu'il utilise des vocables ou des expressions essentiellement de France, qui existent encore au Canada français et que seul un écrivain de talent et de goût pouvait nous offrir. Jugez : ‹ collets de chasse ›, ‹ tissure ›, ‹ on venait de cuire ›, ‹ chemins balisés ›, ‹ icitte ›, ‹ veilleux ›, ‹ bourdignons ›, ‹ une perdrix se mit à battre ›, ‹ avoir des mottons dans la gorge ›, ‹ l'embruni ›, ‹ mangeaille ›, ‹ crique ›, ‹ seillon › (pour sillon), ‹ escousse ›, ‹ talle ›, ‹ la belle défaite qu'il se donne ›, ‹ faire un ravaud › et peut-être une vingtaine d'autres plus beaux encore. [...]

Chose certaine, c'est que depuis la *Maria* de Louis Hémon, nous n'avions pas vu dans la littérature canadienne de peinture plus vivante, plus littéraire et plus vraie que le *Menaud* de l'abbé Félix-Antoine Savard.

Il ne faudrait pas beaucoup de romans comme celui-là pour marquer non pas un progrès, mais l'existence irréfutable d'une littérature franchement nationale et qui se faisait attendre depuis un siècle. Glorifions-en l'auteur.

Son livre, son premier livre serait-il un chef-d'œuvre ? N'insistez pas trop car je vais finir par le croire. »

VALDOMBRE [pseudonyme de Claude-Henri GRIGNON], « Au pays de Québec. S'agirait-il d'un chef-d'œuvre ? », dans *les Pamphlets de Valdombre,* août 1937, p. 392-393, 395.

« Si l'on veut voir dans *Menaud* un pur roman, l'ouvrage prête à plus d'une critique. L'intrigue, très bien amorcée, finit par traîner en longueur et devient même incohérente. La voix des grands morts avait dit : ‹ Avant partout ! Reprends le sentir de tes pères › ; et voilà que le chemin de la liberté se confond avec celui du braconnage. Le style lui-même, d'une richesse exhubérante, s'élève parfois à une hauteur que ne fréquentent pas d'ordinaire les héros de roman.

Mais voilà ! *Menaud* n'est pas un roman. Il déborde les cadres de ce genre pourtant assez élastique. C'est l'exaltation lyrique du pays de Québec étudié dans la splendeur de ses montagnes, les décors changeants de ses saisons, la merveilleuse beauté de ses traditions et de son histoire. C'est une riche succession de tableaux que rehausse l'analyse des sentiments très simples et très véhéments à la fois de l'âme populaire. »

Louis-Joseph AUBIN, « *Menaud, maître-draveur* », dans *l'Alma Mater* (Séminaire de Chicoutimi), septembre 1937, p. 3.

« *Menaud, maître-draveur* n'est point un livre d'action nationale ; il est une œuvre d'art désintéressé. Des grands poèmes épiques il a l'ampleur, le jaillissement, la naïveté charmante, la vigueur. Certains passages font penser à *l'Odyssée.*

C'est le poème du terrien du nord aux prises avec une nature rude, passionné d'aventures plus que de belles récoltes, attaché d'un amour jaloux au sol, à tout le sol régional. Menaud aime son coin de pays, sa terre. Il leur préfère peut-être le risque, la vie dure du braconnier, la drave surtout. Cependant Menaud veut tout garder : sa terre et les grands bois ; il veut demeurer enraciné, mais il ne consent pas à renoncer aux voyages, aux belles aventures.

Menaud, maître-draveur est-il un roman ? Peut-être. On peut tout d'abord se croire en présence d'une étude de caractères. À certains moments, on pensera même à un roman à thèse. La plupart du temps la poésie nous arrachera du réel. Les personnages se seront évanouis. Il n'y aura plus dans le champ imaginaire que cet embrasement d'images neuves, extraordinaires. [...]

Toutefois, malgré eux et malgré Menaud lui-même, l'ouvrage ne me semble pas être un roman. Les héros ne seraient-ils point des symboles plus que des êtres ? L'atmosphère est celle du lyrisme, voire de l'épopée, beaucoup plus que celle du roman.

Enfin, les choses vivent plus que les hommes dans le livre de l'abbé Savard. La montagne, la forêt, la drave, le feu de forêt, la savane, la terre, etc., voilà les héros véritables ! *Menaud, maître-draveur* est un grand poème descriptif coupé de narrations. »

François HERTEL [pseudonyme de Rodolphe DUBÉ], « *Menaud, maître-draveur* », dans *la Relève*, septembre-octobre 1937, p. 216-217.

« Il [le roman] nous laisse éblouis de poésie. Rien d'étonnant à cela pour qui connaît l'auteur, M. l'abbé Félix-Antoine Savard. Mais son ouvrage est un récit et fort bien mené. La marque d'un bon récit est l'intérêt et celui-ci est intense. Rien de romanesque et de mièvre, et cependant c'est le roman de la réalité populaire canadienne, noué intimement à la réaction profonde de l'âme ancestrale contre l'aveulissement de la génération présente.

Menaud personnifie cette âme qui revit en lui. Il agit en maître de la terre, de toute la terre canadienne, symbolisée dans la liberté de la montagne. La montagne est à Menaud, avec ses forêts et ses eaux ; et que les étrangers et les asservis·viennent la prendre ! Lui, et après lui, Joson, son fils, leur apprendront ce que c'est que les hommes libres. Hélas ! Joson est englouti dans une débâcle de drave. Et Menaud en est anéanti. Mais Alexis reste. Alexis, dit Lucon, à qui Menaud donnera sa fille Marie. Alexis, un splendide héros, qui marchera sur son cœur plutôt que de trahir son idéal, car Marie, qu'il aime éperdument, est faible et veut le retenir, quitte, à la fin, devenue héroïne elle-même, à le pousser à l'aventure héroïque. »

Narcisse DEGAGNÉ, « Sur *Menaud, maître-draveur* », dans *le Progrès du Saguenay,* 14 octobre 1937, p. 45.

« M. Savard n'est point satisfait de la joie de façonner un héros. Il le jette sans tarder dans l'atmosphère romanesque et, de là, dans la mystique de la race. Et il n'y a guère ici de joint qui accroche ou faiblisse, ou d'articulation qui soit inutile. Chaque personnage, aussitôt posé sur la scène, entre en œuvre et participe de l'inspiration la plus profonde du roman, c'est-à-dire de ce qui en constitue l'unité morale. M. Savard n'eût-il que ce témoignage de sa sincérité à nous offrir, nous n'en demanderions point d'autre. On n'écrit pas comme il le fait, si l'on n'est point dans sa vérité de nature et de culture, et donc conséquent avec soi-même. [...]

La nature prend vite un sens lyrique pour entrer plus absolument dans le poème et contribuer à achever l'atmosphère morale.

Avec les héros, elle est l'un des principaux éléments constitutifs du récit. Au vrai, aussi bien que les personnages, elle joue un rôle, et c'est pour elle, tout autant que pour l'âme nationale que ces personnages agissent. L'ordre des éléments de *Menaud* est donc le suivant : les personnages et la nature au service de la race. Alors *Menaud* prend figure de symbole et de manifeste. Par delà tous les thèmes, il communique avec l'idéal et le fondamental : notre vie canadienne librement vécue chez nous. »

Maurice HÉBERT, « Quelques livres de chez nous. *Menaud, maître-draveur* », dans *le Canada français*, novembre 1937, p. 321 et 329.

« Mais l'intrigue, d'une importance capitale en d'autres romans, n'a que peu à faire dans une œuvre de la valeur de *Menaud*. Ce qui compte bien davantage, c'est la couleur et le mouvement qui tout au long l'animent, la chaleur étonnante des ensembles, la richesse de la langue — tellement imagée qu'on se prend parfois à la désirer plus simple — et la personnalité, la nouveauté de certains effets qui tiennent du leitmotiv... Il s'en faut de peu que nous nous trouvions en présence d'un grand poème en prose. »

Émile-Charles HAMEL, « Critique littéraire. *Menaud, maître-draveur* », dans *le Jour*, 11 décembre 1937, p. 3.

« On ne sait trop ce qu'il faut le plus admirer. Est-ce le roman de ce vieillard vaillant et fier, qui aime la terre, la montagne, la liberté ; qui est prêt à donner ses labeurs et son sang pour les conserver ; qui veut continuer la lutte dans ses descendants ; qui est sur le point de tout voir anéanti quand son fils meurt et que sa fille écoute le Délié, et qui pourra respirer lorsqu'il apprendra que le cœur de Marie a changé et qu'elle a choisi le Lucon, fier et vaillant comme son père ? Est-ce ce souffle d'épopée passant à travers tout le récit, qui grandit Menaud jusqu'à la taille d'un penseur profond qui ne s'arrête pas à lui-même, mais regarde bien en face sa race et les devoirs qui s'imposent à elle ; qui aime tout son pays, ‹ l'héritage opulent, triomphal d'un océan à l'autre ›, cette ‹ terre si large entre deux vagues marines, qu'à l'heure où le soleil se lève sur une grève, sur l'autre, il fait nuit encore › ; qui ne pouvant trouver des compagnons

pour la lutte, lève les yeux vers la montagne et part en guerre, seul avec le Lucon, contre les étrangers qui l'ont enva-
hie ; la montagne est à Menaud, avec ses forêts et ses eaux,
et que les étrangers et les asservis viennent la prendre... ?

Enfin est-ce la poésie qui s'infiltre partout ? Et quelle
poésie ! Des images neuves, abondantes, vraies, empruntées
à nos forêts, nos rivières, notre sol, notre culture, toutes prises chez nous, du ‹ bon butin de chez nous › ?

L'auteur est un artiste, un véritable peintre qui procède
d'après l'observation directe. Ses comparaisons, il les trouve
sur place, il en a pour le printemps, l'été, l'automne et l'hiver ; il en a pour toutes les circonstances de la vie de ses héros. On dirait qu'il s'est donné pour mission de nous montrer nos propres richesses, que nous ne savons point voir. Arrière l'existence renfermée dans les villes enfumées, dans les
salons étroits ; à lui la vie large et saine de la forêt, de la
montagne, de la liberté ; et toute cette nature accourt au service du poète. »

> J.-A[rmand] T[REMBLAY], « Bibliographie. Félix-
> Antoine Savard, *Menaud, maître-draveur* », dans *Re-
> vue de l'Université d'Ottawa,* janvier-mars 1938,
> p. 133.

« Si Menaud est tellement ému par une simple page de
Louis Hémon, c'est que sommeillait en lui la ‹ mystique de
la race ›. C'est que M. Savard a su transposer sur le plan
idéal le réalisme de *Maria Chapdelaine.* Il est même intéres-
sant de comparer ces deux romans — sans aucune intention
maligne, sans vouloir écraser l'un par la grande destinée de
l'autre. Chez Hémon, comme chez M. Savard, les personnages sont presque les mêmes ; seule la distribution est nouvelle, l'éclairage, nouveau, l'atmosphère, différente. Certains
qui se trouvaient en pleine lumière à Péribonka sont repor-
tés dans l'ombre au Mainsal ; d'autres, épisodiques dans
Maria Chapdelaine, apparaissent ici au premier plan. C'est le

cas de Menaud, la figure centrale, vrai type du draveur stylisé. Menaud, c'est Samuel Chapdelaine, veuf. On se souvient que tout le temps de sa vie, le ‹ père Chapdelaine › avait toujours désiré s'enfoncer plus avant dans le nord, faire sans cesse de nouvelles terres. Menaud a la même passion, plus vagabonde encore. Son rêve ne s'arrête pas à la lisière de la forêt, parce que sa passion de liberté et de misère se double de celle de François Paradis. Quand vient l'hiver, son vieil atavisme de coureur de (sic) bois le reprend irrésistiblement. Il lui faut la migration, dans la montagne, dans la forêt, au chantier, dans la misère. Il n'est pas fait pour un pays enclos. Le Grand Nord lui appartient, à lui, maître-draveur, né dans le pays, libre pour les courses folles dans les territoires vierges.

C'est dans la lutte pour la liberté que Menaud engage son existence. Drame d'autant plus poignant que Menaud est seul avec ses fortes convictions, que la nature et tout ce qu'il y a de civilisé semble s'être ligué contre lui. Malheureusement dans son amour de père, dans son sang, pour le sang de ses ancêtres et de ses descendants, Menaud a voulu se mesurer à des forces qui le dépassent. Il s'est buté à l'inévitable, une nature insensible, tenace, impitoyable, qui a englouti Joson, son fils, qui va, avec sa volonté inhumaine, étendre sa fatalité inhumaine sur lui, Menaud, et l'ensevelir vivant ‹ dans le linceul où il était entré debout ›. »

Luc LACOURCIÈRE, « le Roman de M. Félix-Antoine Savard. Le drame de la fatalité dans *Menaud, maître-draveur* », dans *le Journal,* 10 octobre 1938, p. 4.

« Menaud est un draveur, mais il est surtout autre chose. Il drave sans enthousiasme : ce métier est déjà pour lui une forme d'esclavage, bien qu'il soit le chef d'une équipe. D'abord, c'est un travail asservissant et lourd, peu conforme à ses goûts ; puis il s'exerce aux ordres d' ‹ étrangers ›, ce

qui suffit à le rendre odieux. Menaud est avant tout un indé-
pendant, un nomade ; un de ces loups de bois et de ces batteurs de montagne : chasseurs d'ours, d'orignaux et de rats
musqués ; ‹ braconniers de haute futaie, marcheurs infatigables, rayeurs qui se coulent vers les anses des lacs à l'heure
où l'on ne se reconnaît plus tendant leurs rêts dans toutes les
frayères ›, etc. — ‹ Sa défunte femme avait tout fait, longtemps, pour enraciner au sol ce vagabond des bois... Mais,
elle disparue, tout le vieil atavisme s'était réveillé en lui. Depuis, avec Joson, son fils, en qui battait déjà tout son amour
de la montagne, il passait le printemps, l'automne et les premiers mois des longs hivers dans la solitude dont il était
roi › — [...] La vie, pour lui, c'est ‹ le bois où l'on est chez
soi partout, mieux que dans les maisons où l'on étouffe ;
c'est la montagne aux cent demeures. › Voilà, n'est-ce pas
un type bien défini : pas du tout celui de Hémon. Le père
Chapdelaine, il est vrai, voyage lui aussi, mais c'est pour se
fixer. Il défriche, il ouvre des terres, il fonde un foyer pour
les siens, il prépare des assises à la génération future. C'est
un paysan pionnier, mais c'est un paysan. Son ascendance,
ce n'est pas celle des découvreurs et des traiteurs, mais celle
des solides ‹ habitants › qui semaient, récoltaient et élevaient vingt-six enfants sous les murs de Québec ou de
Ville-Marie. »

Louis DANTIN [pseudonyme d'Eugène SEERS],
« Revue des livres. *Menaud, maître-draveur*, par Félix-Antoine Savard », dans *l'Avenir du Nord*, 4 novembre 1938, p. 1-2.

« Menaud est un modèle vivant, offert en spectacle à
nos admirations et à notre culte, à une hauteur un peu verti-
gineuse ; un type de foi irréductible en la fortune des nôtres,
lesquels, livrés à une décadence qui les désagrège et les mor-
celle, ont besoin de cette incarnation, de cet holocauste,
pour reconquérir la vie. »

Arthur LAURENDEAU, « Chroniques. Vie de l'esprit. *Menaud, maître-draveur* », dans *l'Action nationale,* avril 1939, p. 330.

« L'ombre et le feu jouent un grand rôle dans l'œuvre puisque c'est l'ombre, on l'a vu, qui tue Joson ; quand au second ‹ moment fort › du roman, le feu y est naturellement lié : il s'agit de l'incendie. Dans le troisième, qui nous raconte l'équipée de Menaud dans la montagne, c'est de nouveau l'ombre qui intervient, mais d'une autre façon que dans la mort de Joson. Ces trois scènes dramatiques marquent en fait les étapes d'une lutte qui engage les significations totales de l'œuvre. À un certain plan, qui n'est pas le seul mais qui est fondamental, la mort de Joson signifie une victoire de la femme sur l'homme. Elle compromet la lignée. L'incendie, qui survient tout juste après que Marie ait congédié le Délié, signifie une victoire de l'homme (Menaud, les pères) sur la femme. Mais cette victoire se retourne contre l'homme, de même que la mort de Joson affectait, tout de même, la femme. L'incendie, c'est le feu, les valeurs de fidélité et de liberté ; mais un feu qui a quitté l'intériorité pour envahir l'étendue. À ce moment, il devient dévastation, fléau, transforme la montagne en ‹ passion rouge, éblouissante ›. Tout le tragique de l'œuvre vient de ce qu'il n'y ait aucune conciliation possible entre les univers de la femme et de l'homme, de la maison et de la montagne, entre les valeurs de vie sédentaire et de vie nomade. Que l'ombre s'affirme, elle tue. Que le feu s'impose, il devient incendie. Entre la racine et l'aile, la race et la lignée, la vie de la chair et la fidélité au sang, il y a divorce radical. La dernière étape du drame le montre bien. L'ombre n'a pas raison de Menaud dans son corps, mais elle le détruit dans sa pensée, son ‹ génie ›, son intériorité. De même que la sécheresse, qui précède l'incendie, transformait les buttes de Mainsal en dunes du désert, on entend Menaud ‹ battre de ses appels le grand désert de sa folie ›. L'image du désert implique une négation de l'intériorité, tout est rendu à l'étale, à l'étendue. Il s'agit donc d'un triomphe radical de la dimension horizontale, mais qui annonce une perdition tout aussi radicale : « C'est un avertissement », déclare Josime le cultivateur. Et le mariage du Lucon et de Marie, s'il indique un espoir, ne le fait qu'à titre de pure possibilité, sur laquelle l'auteur n'insiste pas, ne peut insister. Tout mouvement, dans cet univers essentiellement tragique que pose *Menaud, maître-draveur,* ne peut mener qu'à l'affrontement plus radical des extrêmes. Et ces extrêmes se réduisent, en fin de compte, à ces deux choix exemplaires que sont la *trahison du Délié,* où l'intérêt présent de la race l'emporte sur la fidélité aux pères ; et la *folie de Menaud,* où la fidélité devient obsession. »

André BROCHU, « Menaud ou l'Impossible Fête »,
dans *l'Action nationale,* novembre 1966, p. 284-285.

« ... Savard a réussi à créer non seulement un personnage romanesque durable mais un héros taillé à la mesure de la nature où il l'a fait vivre et de son propre génie, un héros qui vit, pour la première fois dans notre histoire littéraire, une expérience mystique, et qui s'engage tout entier, jusqu'à s'y perdre, dans le destin qu'il choisit, dans les circonstances qui déterminaient son comportement. J'ajouterai que la composition riche de divers éléments parfaitement intégrés les uns aux autres, est une réussite littéraire, la première de notre littérature. »

André MAJOR, *Félix-Antoine Savard,* 1968, p. 32.

« *Menaud, maître-draveur* dépeint dans toute sa force poétique le thème de la fidélité que nul autre roman n'a su exprimer avec autant d'authenticité. Par des personnages vibrant d'amour pour leur pays, Félix-Antoine Savard atteint la dimension profonde de l'homme sûr de son identité, qui le distingue dans l'humanité et qui le pousse à agir. De ce roman se dégage un poème qui tend vers l'épopée. Le sujet et la forme donnée à ce sujet possèdent des caractéristiques des grandes chansons de geste. »

Richard THÉORET, « Menaud épique », dans *Co-Incidences,* novembre 1972, p. 36.

« Sur quoi repose, en effet, tout le récit ? Essentiellement, sur la tentative de réconcilier les deux univers : le visible et l'invisible, le vécu et le rêvé, l'actuel et le mythique, c'est-à-dire le monde et les voix. Plus précisément : le présent de Menaud et le passé héroïque signifié par les voix. Mieux encore : le temps et l'éternité. Tentative proprement impossible, et dont l'impossibilité, comme l'a bien vu André Brochu (1966), fait tout le tragique du destin de Menaud. Éperdument, le maître-draveur essaie de faire se rejoindre la leçon des ancêtres et la vie de ses contemporains, les ‹ paroles miraculeuses › et la réalité qui l'entoure, le Livre et la vie. Comme Don Quichotte, comme Emma Bovary, comme Hamlet même. Et comme eux, il échoue. Sa folie, que tout le récit annonce, n'est rien d'autre que le dénouement de cette entreprise paradoxale : incapable de plier le monde aux paroles magiques, Menaud voit celui-là lui échapper fatalement et demeure avec celles-ci, qu'il continue de répéter, de ressasser inlassablement. Dès l'instant où ils sont entrés en lui, les mots de *Maria Chapdelaine* ont pris possession de son esprit. Pendant un an, il ne cessera de les entendre, et tentera par tous les moyens de réaliser l'équivalence entre elles et la réalité. Mais celle-ci se dérobe, et il est emporté. Après que tout a eu lieu, à la dernière page du récit, Menaud, qui voulait naguère soulever le peuple entier contre l'envahisseur, n'est plus qu'un homme seul, prisonnier de sa chambre et de ses chimères. »

François RICARD, *Dictionnaire des œuvres littéraires du Québec,* vol. II : *1900-1939,* Montréal, Fides, 1980, p. 696.

TABLE DES MATIÈRES

bibliothèque québécoise